杨红樱

童话珍藏版

会走路的小房子

明天出版社

杨红樱 著

目录

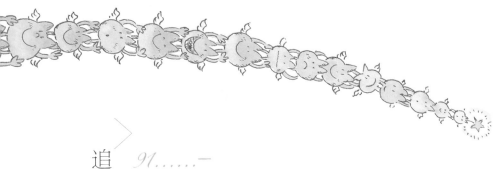

换了脑袋的老鼠

一天晚上，笨笨猪从狐狸家回来，刚打开门，就看见一只秃尾巴老鼠正在他的餐桌上大嚼他吃晚餐时剩下的油炸花生米。秃尾巴吃得太用心了，连他进来都没发现。

"你好！"

笨笨猪一边和秃尾巴老鼠打招呼，一边坐在了餐椅上。

秃尾巴猛地抬起头来，吓得转身就跑。笨笨猪忙叫住他：

"你别跑！我们为什么不聊聊呢？"

秃尾巴惊恐地看着笨笨猪，笨笨猪笑眯眯地看着秃尾巴。秃尾巴真的不跑了，他坐在餐桌上和笨笨猪聊起来。

"对不起，我偷吃了你的花生米。"

"如果……如果你先告诉了我，你要到我家来做客，我会请你吃花生米的。"

秃尾巴低下了头："不瞒你说，我不敢光明正大地来做客。"

"为什么？"

"'老鼠过街，人人喊打。'你没听说过这样一句话吗？"

"哦，是这样。"笨笨猪点头表示理解，"你的尾巴怎么没了?"

"唉，说来话长。去年大年三十晚上，我去偷肉，被人砍断的。"

"这是何苦呢？你就不能改变一下这种偷偷摸摸的生活吗？"

"改变？"秃尾巴说，"我们祖祖辈辈都是这么过的，你叫我们不偷，我们又怎么生活呢？"

这个问题可难住了笨笨猪。

"这个嘛，我也说不上来。这样吧，我带你去请教猫咪咪，她读的书多，什么道理都知道。"

一听到"猫咪咪"的名字，秃尾巴就吓得跳起来："你还不知道，我们老鼠和猫，祖祖辈辈都是生死冤家。猫哪里肯给老鼠讲道理？"

"不过，我从来没听猫咪咪说过她恨老鼠。"

尽管这样，秃尾巴还是不肯去。

后来，笨笨猪想出了一个办法：既然猫咪咪的那些道理都是从书里来的，那么就让秃尾巴自己在猫咪咪的书房里去找找吧！

为了不让猫咪咪发现秃尾巴，笨笨猪和秃尾巴商量好：笨笨猪去缠住猫咪咪，秃尾巴悄悄溜进书房。

笨笨猪找来一顶大礼帽，让秃尾巴藏在里面。他戴着礼帽出了门。

他们来到猫咪咪的家。猫咪咪正在书房里看书，她一见笨笨猪头戴礼帽的滑稽相，便笑得眼泪都流了出来。

笨笨猪赶紧按住大礼帽，傻乎乎地说："我感冒了，我想请教你几个问题。"

猫咪咪最喜欢别人向她请教问题，也最喜欢给别人解答问题。

"我们还是到客厅去谈吧！书房里太闷了。"

猫咪咪好纳闷。现在已经是秋天了，怎么会热呢？

笨笨猪见猫咪咪出了书房，一揭帽子，秃尾巴钻了出来。

秃尾巴用惊奇的目光把这书房扫了一遍，整个房间被装得满满的，四面墙都立着顶着天花板的木架子，那些木架子有许多格，上面摆满了像砖头一样的东西，整个书房里弥漫着一股好闻的气味儿。当然，秃尾巴不知道，这砖头一样的东西就是书，更不知道那好闻的气味儿，就是从书里散发出来的油墨的芬芳。

秃尾巴跳到书架上，一排厚厚的硬壳精装书吸引了他。他想起了高级点心和巧克力的包装都是很精美的。"这里面肯定也有好吃的东西。"他已忘了他到这书房来是为了寻找那些能改变自己生活的道理。

秃尾巴迫不及待地用爪子刨着，用尖利的牙齿啃着，可是除了弄得自己满嘴的纸渣儿外，他什么味道都没有尝到。

渐渐地，当啃到有黑字的地方时，秃尾巴感觉到了一种很特殊的味道，虽然不像黑芝麻饼那样喷香，却有一种妙不可言的清香。

秃尾巴啃一口，脑子里乱七八糟的东西就被挤出去一点。他再啃一口，那些东西就再被挤出去一点……

当他啃到脑袋里已没有了乱七八糟的东西时，他继续啃，脑袋里开始吸收进一点新思想，他开始悔恨自己以前做过的许多损人利己的事，那确实是作恶多端，难怪会有"老鼠过街，人人喊打"的报应。

他又啃，又吸收进一点新思想，他认为老鼠之所以活得不光

彩，就是因为老鼠不劳而获，如果老鼠肯改掉恶习，用劳动来养活自己，就一定能赢得大家的尊敬，过上光明正大的生活……

秃尾巴啃啊，啃啊，一直啃到脑袋里装满了新思想，才带着全新的头脑，愉快地离开了猫咪咪的书房。

第二天一早，笨笨猪还没起床，就被一阵吱吱吱的声音吵醒了。

他睁开一只眼，只见地上密密麻麻地站满了老鼠！

"笨笨猪，我已经换了脑袋。"

秃尾巴精神焕发，脸上已经没有了以前那种鬼鬼祟祟的神情。

笨笨猪左看右看："这还是你原来的那个脑袋嘛！"

"我是说，我脑袋里原来的旧思想没有了，现在里面装的全是新思想。你说，这是不是换了脑袋？"

笨笨猪听明白了，连连点头："是，是。你是换了脑袋。"

"我带着新脑袋回到部落里，同伴们都很羡慕我，他们也想换脑袋，所以今天一早，我带着他们又找你来了。"

要带这么多的老鼠到猫咪咪的书房里去啃书，可没有昨晚那么容易。笨笨猪敲着脑袋："让我想想办法……"

"笨笨猪！笨笨猪！"

啊，是猫咪咪的声音！老鼠们吓得四处乱窜。

"你说奇怪不奇怪？我书房里的书昨天还是好好儿的，可是今早我发现有好几本书已经只剩下书壳了，里面的书页全没有了。这是谁干的？"

笨笨猪心里明白这是怎么回事，他对猫咪咪赔着笑脸："你先别急，也别生气，听我慢慢地向你坦白。"

"是你干的？"

猫咪咪怒视着笨笨猪。

笨笨猪赶紧将昨晚怎样把秃尾巴藏在大礼帽下面，把他带进猫咪咪的书房里，秃尾巴啃了书后又怎样换了头脑的事，原原本本地告诉了猫咪咪。

　　笨笨猪低下头，连大气都不敢出，他想猫咪咪一定会发脾气，因为她爱书如命。

　　"真是奇妙，太奇妙了！"猫咪咪不但没有生气，反而高兴得很，"我早就说过，书是最伟大的，书的力量是无穷的，书是可以改变一切的……"

　　猫咪咪滔滔不绝地说起了书的种种好处。

　　"秃尾巴说，他们部落里的老鼠们都很羡慕他，也想啃你的书，也想换换脑袋。"

　　"真的?我的那些书这回可派上用场了。"猫咪咪激动得两眼闪闪发光，"你叫他们都来吧！"

"他们已经来了！"笨笨猪向角落里喊道，"秃尾巴，快出来吧！"

眨眼间，地上又密密麻麻地站满了老鼠。猫咪咪领着他们，浩浩荡荡地开进她的书房。

老鼠们一看见满屋子的书，便迫不及待地爬上书架啃起来。

像秃尾巴一样，这些老鼠啃了书后，便都换了脑袋，不愿过见不得人的日子。

秃尾巴试探着问："听说你们欢乐村庄里，大灰狼住进来了，狐狸住进来了，那么我们老鼠能不能也住进来？"

"当然能！"猫咪咪回答得很干脆，"你们不是已经换过脑袋了吗？我代表欢乐村庄的全体村民，欢迎你们来居住！"

吱吱吱！

吱吱吱！

老鼠们高兴得在屋子里乱跑乱叫。

"我们还听说，你们为大灰狼和狐狸都建了他们喜欢的房子……"

"是呀！"笨笨猪回答说，"我们也会为你们建一座你们喜欢的房子。你们喜欢什么样的房子呢？"

"太阳房子！"

"太阳房子！"

谁都没想到老鼠们会喜欢太阳。

"我们以前想看太阳，想晒太阳，可我们不敢在白天出来。白天，我们只能躲在洞里，晚上才能出来。"

"老鼠们的太阳房子最好建在我的花蕾房子的旁边，我可以经常拿些书给他们啃，让他们明白更多的道理。"

老鼠们和笨笨猪，都觉得猫咪咪的这个建议很好。

果然，欢乐村的村民们为老鼠们建了一座红彤彤的太阳形状的房子。老鼠们在村后发现了一块荒地，便打算在那里开荒种地。

从此，欢乐村庄的老鼠们过上了自食其力的生活。

喝盐水，生盐蛋

刮了一夜的北风，下了一夜的雪。

前些日子，鸭妈妈家又添了一群小鸭子，家里的粮食不多了。鸭妈妈想到集上卖些鸭蛋，再买些谷子回来，可是，一群小鸭子缠得她走不开。她只好选了一篮子鸭蛋，请邻居笨笨猪帮她提到集市上去卖。

　　笨笨猪正整天闲得没事儿干，他很爽快地答应了鸭妈妈的请求。他接过篮子，看了看里面的蛋，赞叹道："鸭妈妈，你生的蛋真是个个优秀！你放心，我笨笨猪一定帮你卖个好价钱。"

　　"顺便用卖了蛋的钱帮我买些谷子回来。记住了吗?"

　　"记住了！记住了！"

　　笨笨猪嫌鸭妈妈啰唆，挎起一篮子鸭蛋就往集市上跑。

来到集市，笨笨猪挑了一个最热闹的地方，摆好鸭蛋，便扯

开嗓子吆喝起来：

"快来看，快来买，又白又大又新鲜的鸭蛋咧！"

"你卖的是不是盐蛋？"

羊大妈挎着篮子走过来问道。

"怎么会是盐蛋呢？"笨笨猪拿起一个大鸭蛋，"羊大妈，

您看清楚了，这是百分之百的鸭蛋。"

"鸭蛋我不买，我要买盐蛋。"

羊大妈转身就走。

"盐蛋？我从来就没听说过什么盐蛋。盐还会生蛋吗？哈哈哈！"

笨笨猪笑了一阵，想起他的鸭蛋还没卖出去一个，又大声地吆喝起来：

"快来看，快来买，又白又大又新鲜的鸭蛋咧！"

猴小姐走过来问道："有没有盐蛋？"

笨笨猪答道："鸡生蛋，鸭生蛋，盐不生蛋，所以没有盐蛋。"

猴小姐刚离去，笨笨猪见羊大妈挎着一篮子鸭蛋又走过来了，他忙叫住她："羊大妈，您买的还是鸭蛋嘛！怎么不买我的？"

笨笨猪把羊大妈的篮子和他的篮子并排放在一起，说："瞧瞧，您买的蛋还没我卖的蛋大。您怎么不买我的？"

"我买的是盐蛋，盐蛋好吃。"

羊大妈提起篮子走了。

笨笨猪糊涂了。羊大妈买的明明是鸭蛋，怎么偏偏说买的是盐蛋呢？

见猴小姐也走过来了，笨笨猪问道："猴小姐，你买到盐蛋

了吗？"

猴小姐扬扬装得鼓鼓的提包："买到了。"

"你在哪儿买的？"

"前面鸭大婶那儿买的。"

鸭大婶生的蛋还是叫鸭蛋嘛，怎么就变成盐蛋了呢？笨笨猪一定要到鸭大婶那儿去搞搞清楚。

向前走几步，笨笨猪很容易就找到了鸭大婶。

"鸭大婶，为什么您的蛋不叫鸭蛋，叫盐蛋呢？"

鸭大婶给了他一个煮熟了的蛋："你尝尝这个蛋，就知道什么叫盐蛋了。"

笨笨猪剥了蛋壳，把蛋送进嘴里，慢慢地咀嚼着。

"你尝到味儿了吗？"

"比煮鸭蛋好吃多了，有咸味儿。"

"对了，这就是盐蛋。"

笨笨猪赶紧请教道："鸭大婶，你能不能告诉我，鸭蛋是怎么变成盐蛋的？"

"一斤盐巴加十斤水……"

原来是这样！

笨笨猪到商店里买了两斤盐，提着那篮没卖出去的鸭蛋，回

盐蛋

到鸭妈妈家。

　　笨笨猪把一篮子鸭蛋还给鸭妈妈："你的蛋卖不掉。"

　　"怎么会呢？"鸭妈妈急了，"我的这些蛋都是很新鲜的，
用你的话来说，个个优秀。"

"没错，你的蛋确实个个优秀，可是，集市上盐蛋好卖，鸭蛋不好卖。"

"盐蛋？"

鸭妈妈也不知道什么是盐蛋。

"这太简单了。"笨笨猪掏出那两斤盐，"你把这些盐巴加了水喝了，生的蛋就是盐蛋。"

鸭妈妈扭扭她的长脖子："我生了这么多年的蛋，还从来没有听说喝盐水生盐蛋。"

"可是鸭大婶喝了盐水就生了盐蛋。"

"真的？"

"当然是真的！她还请我吃了一个呢。挺好吃！所以她生的盐蛋好卖，你生的鸭蛋不好卖。"

鸭妈妈下定决心："我只好豁出去了，喝盐水，生盐蛋！"

鸭妈妈开始在盐里加水："加多少水？"

笨笨猪想起鸭大婶的话："一斤盐加十斤水，两斤盐加……加……"

算不出来心里急，笨笨猪直翻白眼。

"两斤盐加二十斤水。"

"鸭妈妈，您真了不起，一下子就算出来了！"笨笨猪打心

眼儿里佩服鸭妈妈，"两斤盐加二十斤水，你天天喝，就会生出盐蛋来。"

第二天一早，笨笨猪就来到鸭妈妈家。

"鸭妈妈，你喝盐水了吗？"

"喝了，喝了一大碗。"

"喝了好，喝了好！"笨笨猪一屁股坐在门槛上，"我就在这里等着，等你生盐蛋。"

快到中午的时候，从鸭妈妈的卧室里传来了她的叫声："个个大！个个大！"

笨笨猪知道鸭妈妈生蛋了。

鸭妈妈还在得意地叫："个个大！个个大！"

笨笨猪等得不耐烦了："鸭妈妈，你别叫了，我知道你生的蛋个个都大，但我更想知道你生的是不是盐蛋！"鸭妈妈衔着蛋，屁股一扭一扭地从卧室里出来。她把蛋给了笨笨猪："你看，这是不是盐蛋？"

那蛋还是热乎乎的。笨笨猪左看，右看，横着看，竖着看，还是看不出它是不是盐蛋。

笨笨猪无可奈何地说："只有用一个办法才可以知道它是不是盐蛋。"

"什么办法？"见笨笨猪吞吞吐吐的样子，鸭妈妈急得在他的胖屁股上啄了一下，"你快说呀！"

"把它煮来吃了，就能知道它是不是盐蛋。"

虽然鸭妈妈心里舍不得，但她还是让笨笨猪把蛋煮了。

鸭妈妈看着笨笨猪把蛋吃了，急忙问："这是不是盐蛋？"

笨笨猪摇头："没滋没味，不是盐蛋。"

鸭妈妈天天喝盐水，天天生蛋，笨笨猪天天吃蛋，天天对鸭妈妈说："没滋没味，不是盐蛋。"

终于有一天，鸭妈妈忍不住发脾气了："我天天喝盐水，天天生没滋没味的蛋。你是不是成心骗我的蛋吃?"

笨笨猪很委屈："我没想骗你的蛋吃，我巴不得你生盐蛋，我好帮你拿到集市上去卖。"

"你不是说喝盐水，生盐蛋吗？我喝了这么多盐水，怎么还没生出盐蛋来呢？"

"鸭大婶是这么告诉我的。"笨笨猪哭丧着脸，"我再去找找鸭大婶，看她是不是说错了。"

"快去吧！"鸭妈妈又在他的屁股上狠狠啄了一下。

笨笨猪不敢怠慢。他迈着四条短短的胖腿儿，一刻不停地跑到集市上，找到了卖盐蛋的鸭大婶。

"鸭大婶，你上次是不是告诉我，一斤盐加十斤水，鸭蛋就能变成盐蛋？"

"对呀！没错。"

鸭大婶很肯定地点头。

"可是，我买了两斤盐，加了二十斤水给鸭妈妈喝，她生的蛋还是没滋没味的。"

"你说什么？"鸭大婶把耳朵凑近笨笨猪的嘴，"喝盐水，生盐蛋？嘎！嘎！嘎！"

鸭大婶把脸藏在翅膀里，笑得全身的毛都在抖。

"那天，我的话还没说完，你就跑了。"鸭大婶好不容易才忍住了笑，"我是说，一斤盐加十斤水，然后把鸭蛋放在盐水里，泡些日子，鸭蛋就变成盐蛋了。嘎！嘎！嘎！"

鸭大婶笑得没完没了。笨笨猪可笑不出来。他想，如果把鸭大婶的话告诉鸭妈妈，鸭妈妈不把他的屁股啄痛才怪呢。

天冷要盖房

笨笨猪躺在被窝里，听着风呼呼地刮，看着雪静静地下。

"天冷了，该去帮驴大爷盖房子。"笨笨猪说完，翻了一个身，又呼噜呼噜地睡着了。

去年春天，驴大爷的草棚子就已经歪歪斜斜了。乖乖熊说："我们应该帮驴大爷盖一座新房子。"

笨笨猪也说："我们应该帮驴大爷盖一座新房子。"

可是春天太美了，笨笨猪和乖乖熊天天去春游，去野餐。春天过去了，歪歪斜斜的草棚子还是歪歪斜斜的。

转眼到了夏季。

驴大爷的草棚子上裂开了许多窟窿。笨笨猪和乖乖熊白天在小河里游泳，晚上又要去听昆虫们开的音乐会。草棚子上的窟窿

越来越大，草棚子已经不能遮风挡雨了，笨笨猪和乖乖熊却说："这样也好，在棚子里凉快。"

秋天说到就到，秋风把草棚子的草刮得遍地都是。笨笨猪和乖乖熊忙着与准备冬眠的朋友告别，与准备南飞的朋友告别……

怎么朋友们刚走，冬天就已经来了呢？

第二天，天刚蒙蒙亮，笨笨猪就去敲乖乖熊的门："天冷了，快起来帮驴大爷盖房子。"

乖乖熊扛着一把大斧头出了门。他们俩深一脚、浅一脚地走在雪地里，来到树林里寻找用来盖房子的木头。

他们很容易地找到了他们所需要的木头。在一棵大树下、紧挨着树干的地方，几根碗口粗的木头架成"人"字形立在那里。

"哇——"笨笨猪高兴地叫道，"这几根木头用来盖房子正好！"

乖乖熊可不像笨笨猪那么高兴："木头是有了，可是我们把房子盖在什么地方呢？"

"当然要盖在湖边了。"笨笨猪早就想好了，"驴大爷住在那里，饿了，湖边有青草；渴了，有湖水；散步的时候，风景也好。"

稀里哗啦！稀里哗啦！

笨笨猪和乖乖熊都是大力士，他们挥舞斧头，三两下就把木

头拆下来，而且意外地发现地上还有一大堆谷草。

他们俩把木头搬到湖边，把谷草拖到湖边，叮叮当当地盖起房来。

当红红的太阳升起来的时候，湖边已经出现了一座结结实实、暖暖和和的小房子。

笨笨猪一边收拾工具，一边说："不知道驴大爷会多么喜欢这座小房子！"

"笨笨猪，我们不要告诉驴大爷这座小房子是我们俩盖的，做了好事不留名嘛！"

笨笨猪很赞同乖乖熊的意见，他们欢天喜地去接驴大爷来新

房子里住。

这时．从树林里传来驴大爷沙哑的哭声。

"这是驴大爷在哭呢。"乖乖熊说，"他为什么要哭？"

"一定是昨晚又刮风，又下雪，驴大爷住在破棚子里挨了冻，当然会很伤心。"笨笨猪加快步子，"不过，他很快就会高兴起来的，因为他现在已经有了一座新房子。"

当他们找到驴大爷时，一群动物簇拥着黑猫警长也赶来了。

驴大爷啰啰唆唆地向黑猫警长讲述着："你知道，我以前住的棚子已经很破旧了，不能……"

"请拣主要的说。"黑猫警长打断了驴大爷的话。

"好，好，说主要的。"驴大爷又开始说，"今年秋天，我费了好多工夫，在树林子里挑了几棵最好的树，又从老远的地方驮来新鲜的谷草，花了整整一个秋天的时间，在这棵大树下，搭了一个草棚子。这个草棚子……"

"其他的不要说了，只讲事情的经过。"黑猫警长又一次打断了驴大爷的话。

"今天早晨，天还没亮，像往常一样，我出去慢跑，回来的时候，我的草棚子就不见了。"

"这是谁干的？这么缺德！"乖乖熊对笨笨猪说。

笨笨猪也不明白："为什么要偷驴大爷的草棚子呢？"

黑猫警长问："驴大爷，你出去慢跑，大概需要多长时间？"

驴大爷眨巴眨巴眼睛："大概需要二三四个小时吧。"

黑猫警长点点头："在二三四个小时以内，小偷就盗走一个草棚子，可见小偷不止一个，至少是两个，也许是三四五六个。"

接着，黑猫警长开始查看现场，可是大树周围的雪地上，到处是来看热闹的动物们的脚印。黑猫警长说："现场已经被破坏了。如果现场保护得好，小偷的脚印就会留在雪地上，那么谁是小偷便一目了然了。"

"驴大爷也真是的，"笨笨猪说，"不把现场保护好，这下抓不到小偷了。"

"不过，我又有了新的发现。"黑猫警长弯腰拾起一根谷草，"驴大爷，你的草棚子用的是这样的谷草吗？"

"是的，用的都是这样的谷草。"

"你们看，小偷很狡猾，他们想用谷草扫去他们的脚印，不想却留下了一地的谷草。我想，沿着地上的谷草向前走，就肯定能找到小偷了。"

黑猫警长为自己的分析判断而得意得两眼发光，他开始沿着有谷草的地方搜寻，笨笨猪和乖乖熊跟在他身后，一心想帮助他抓住小偷，早忘了接驴大爷去看新房子的事了。

大家径直来到了湖边那座新盖的小房子前，前面的地上再也没有谷草了。

"我估计小偷就在这座房子里。"

黑猫警长让大家隐蔽起来，他侧身倚在门边，朝房子里喊道："快出来，小偷！我知道你们就在里边。"

"喂，笨笨猪！"乖乖熊小声说，"这不是我们给驴大爷新盖的房子吗？"

"对，好像是。"

他们跑到黑猫警长的身边，对他说："房子里不会有小偷。"

"你们怎么知道？这是谁的房子？"

"这……这是驴大爷的房子。"

"驴大爷的房子？"黑猫警长问驴大爷，"这是你的房子吗？"

"不，不是。这肯定不是我的房子。"

"怎么回事？"黑猫警长盯着笨笨猪和乖乖熊。

"这……这是我们为驴大爷新盖的房子。"

"警长先生！"驴大爷指着房梁，"这几根木头是我的，是我搭草棚子用的木头。"

"哦，是吗？"黑猫警长的眼珠骨碌碌地转动着，他觉得案情变得复杂起来。

"警长先生！"驴大爷指着房顶上的谷草，"房顶上的谷草也是我的。"

"笨笨猪，乖乖熊，你们用来盖这座房子的木头和谷草是哪儿来的？"

"在树林里，一棵大树下……"

"天哪！"驴大爷叫起来，"那正是我的草棚子。"

"也就是说，是你们把驴大爷的草棚子给拆了。"

"天没全亮，看不清楚树下是草棚子，我们还以为是几根木头架成了'人'字形……"

笨笨猪接着乖乖熊的话说下去："我们并不想偷木头和谷草，只是想用这些木头和谷草给驴大爷盖座新房子。天冷了，盖房子的事不能再拖了。"

黑猫警长仰头大笑了几声，悠然地踱起了步来："我看，这个有趣的案子已经真相大白：笨笨猪和乖乖熊拆了驴大爷在树林里的草棚子，又在湖边给驴大爷盖了一座新房子。驴大爷，你喜欢这座新房子吧？"

驴大爷点点头："当然！这新房子比我的那个草棚子更结实，更暖和，也更漂亮！"

《亲爱的笨笨猪》是杨红樱的一部长篇童话，讲的是一只小猪，他看上去笨笨的，憨憨的，但他生活得十分快乐和充实。这是因为他心地善良，喜欢帮助和关心别人，为了帮助别人，他肯动脑筋，会想出许多很聪明的办法来。

在《换了脑袋的老鼠》这个故事里，笨笨猪把一只生来就喜欢偷偷摸摸地过日子、从来也不敢光明正大地去生活的秃尾巴小老鼠，带进了一只有学问的猫的书房里，让小老鼠尝到了和感受到了一种他从来也没有感受过的"书香"——那其实就是知识、文明和思想的芬芳。因为有了这些伟大的书，有了知识和思想的力量，所以小老鼠就像换了脑袋一样，再也不愿过那种见不得人的日子了……

在故事的结尾，当笨笨猪问老鼠们喜欢住在什么样的房子里时，老鼠们异口同声地回答："太阳房子！"是啊，有谁曾经想到过，生来就习惯住在黑暗的地洞里的老鼠们的最大的愿望是享受一下明亮的阳光！从这个童话故事里，我们也看到了童话家那美好和明亮的想象力的光芒。

当然，笨笨猪也有"聪明反被聪明误"，闹出笑话的时候。例如在《喝盐水，生盐蛋》这个故事里，他就闹出了让鸭妈妈喝盐水，以便生盐蛋的笑话。在《天冷要盖房》这个故事里，笨笨猪又和乖乖熊一起，干出了拆掉驴大爷在树林里的草棚子，又在湖边给驴大爷盖了一座新房子的笨事情。这两个故事同样写得轻松好玩儿，故事的推进既出人意料，又在情理之中。

读了这几个故事，我们会发现，笨笨猪其实一点也不笨，他反倒是一只很聪明、很有智慧的猪呢！最可贵的是，他能给别人带来很多的快乐和幸福，他自己也在帮助和关心别人的过程中获得了无限的快乐和幸福。在他身上，真正体现了那样一句话："大家都感到快乐，才是真的快乐；大家都觉得幸福，才是真的幸福！"

小房子的脾气大

你看出这座小房子跟别的小房子有什么不一样吗？往下看，再往下看。看见了没有？这座漂亮的小房子有一双脚——一双很大很大的脚，脚上还穿着一双很大很大的皮鞋，走起路来"夸夸"地响。

小房子的脾气大得很，他老跟他的邻居大风车吵架。他常对大风车嚷道："懒鬼，你不能转得快一点吗？"

"不行啊！"大风车说，"现在只有微风，我转不快。"

起风了，大风车越转越快，越转越快。小房子又不高兴了，他对大风车嚷道："你疯了吗？别转得那么快，快停下来！"

"不行啊！"大风车说，"现在起风了，我停不下来。"

"讨厌!"

小房子不想跟大风车做邻居了,迈开大步,"夸夸夸"地走了。

小房子去跟钟楼做邻居。

每隔一个小时,也就是六十分钟,钟楼就要敲一次钟。白天敲还可以,夜里敲可让小房子受不了。小房子去跟钟楼上的钟商量:"你能不能白天敲,晚上不敲呢?"

"不行啊!"钟说,"一到时候,我是必须要敲的。"

"你真笨哪!你不能灵活一点吗?"

"如果钟能灵活,那就是坏钟,没用了。"

"笨钟!"

小房子骂道,他不想跟钟楼做邻居了,迈开大步,"夸夸夸"地走开了。

小房子坏了

小房子路过小河边,被一只正在河里游水的胖鹅看见了。

他忙游上岸来:"小房子,等等我!"

胖鹅追了上来:"让我住进去,好吗?"

小房子停下脚步："住进来可以，但是我要考考你。你用一元钱买一样东西，如果能把我装满，我就让你住。"

胖鹅用一元钱买了一大车草。

他把草拉回来，装进小房子里，可是只装满了小房子的一个角落。

"不行，不行！"小房子拒绝了胖鹅，"你不能住进来！"

小房子来到一片草地上。

一只小花狗朝他跑来，对他说："我正没有房子住，我可以住进来吗?"

小房子还是那样说："住进来可以，但是我要考考你。你用一元钱买一样东西，如果能把我装满，我就让你住。"

小花狗用一元钱买了一百桶水，一桶一桶地倒进小房子里。

水从小房子的门里流出来，从小房子的窗里流出来，一百桶水没有把小房子装满。

"不行，不行!"小房子拒绝了小花狗，"你不能住进来!"

"夸夸夸"，"夸夸夸"，小房子气咻咻地又走了。

走呀，走呀……

小房子爬过了一座又一座的山，蹚过了一条又一条的河，小房子身上漂亮的油漆剥落了，门坏了，窗坏了，脚上的大皮鞋也走烂了。

走到树林里，小房子再也走不动了。

他成了树林里一座破旧的小房子。

这时候的小房子很伤心，他想，再也没有谁会喜欢他了。

小房子变了样

　　有一天，一个梳翘辫子的小女孩和一个爱翻跟头的小男孩来到树林里，来到小房子的身边。

　　小翘辫儿一下子爱上了小房子："我喜欢这座小房子，我一直想在树林里，有一座自己的小房子。"

　　小跟头却不像小翘辫儿那样喜欢这座小房子，他嫌小房子太旧了。

　　"这小破屋！"小跟头说着，还踢了小房子一脚。

　　小房子也伸出他的大脚，在小跟头的屁股上踢了一脚。

　　"谁在踢我？"

　　小房子赶紧把他的脚藏起来。他觉得逗逗这个小男孩，也蛮开心的。

　　小翘辫儿围着小房子看了又看，好像看不够似的。

　　"我真的很喜欢这座小房子！"

　　小房子的倔脾气又上来了，他说："只是你喜欢我不行，还要看我是不是喜欢你。"

小翘辫儿问："你要我怎样做，才能喜欢我呢？"

"我要考考你。你用一元钱买一样东西，如果能把我装满，我就喜欢你。"

小翘辫儿用一元钱买了一根蜡烛。小跟头取笑她道："一根小小的蜡烛，怎么能把一座小房子装满？"

小翘辫儿点燃了蜡烛，烛光把小房子装满了。

"装满了！装满了！"小跟头高兴地在地上翻起跟头来。

小翘辫儿问小房子："现在，你可以喜欢我吗？"

"是的，我喜欢你。可是，我不喜欢我自己。"

小翘辫儿不明白："小房子，你为什么不喜欢你自己？"

"我的门是坏的！"

"你不用怕！"小翘辫儿轻轻地拍拍小房子，"我会让你好起来的。"

小翘辫儿去采了一篮鲜红的果子，一颗一颗地串起来，做成一挂门帘，挂在门上。

小翘辫儿说："真好！"

小跟头也说："真好！"

小房子还是不高兴："我的窗是坏的。"

"你不用怕！"小跟头轻轻地拍拍小房子，"我会让你好起来的。"小跟头翻着跟头走了。

不一会儿，小跟头又翻着跟头回来了，后面跟了一大群花花绿绿的蝴蝶。

蝴蝶纷纷向小房子的窗口飞去。小房子的窗户上就像飘动着一幅美丽的窗帘。

"小房子，你知不知道你现在有多美？"

"可是，可是……"小房子还是不喜欢自己，"我全身的油

漆都旧了。"

"你不用怕!"小翘辫儿和小跟头轻轻地拍拍小房子,"我们会让你好起来的。"

小翘辫儿和小跟头向树林深处跑去。

不一会儿,只听他们俩一路叫着"爬呀,爬呀",又回来了。一根长长的爬山虎跟在他们的脚后边,飞快地爬着。

爬山虎爬上了小房子。她伸展着嫩红的小

脚丫，在小房子上爬呀，爬呀，爬满了小房子。小房子变成了一座散发着清香味儿的绿色小屋。

世界上最棒的小房子

小房子终于高兴起来了。现在，他喜欢小翘辫儿，喜欢小跟头，也喜欢自己。

"对不起！"小房子向小跟头道歉，"刚才，我踢了你一脚。"

小跟头却说："你没有踢我，因为你没有脚。"

"我有的。"小房子伸出他的脚来，他觉得十分难为情，因为他的皮鞋已张了个大嘴，大脚丫全露在外边。

"看，你的鞋都烂了，应该换一双。可是，到哪里去找这么大的鞋呢?"

小翘辫儿和小跟头正在发愁，树上的一只小鸟突然说道："我们的鸟窝可以做他的鞋！"

小鸟说完，便飞走了。

过了一会儿，两只小鸟衔着一个鸟窝飞来了；又过了一会儿，另外两只小鸟又衔着一个鸟窝飞来了。

　　小翘辫儿和小跟头把两个鸟窝放在小房子的脚边，小房子的大脚一穿，果然很合适。

　　"好舒服哇！又软和，又轻便！"

　　小房子走了两步，脚步声轻轻的，再也不是"夸夸夸"的声音。

　　因为有了小翘辫儿，因为有了小跟头，所以一切都变得美好起来。美好起来的小房子想起了大风车，想起了钟楼，想起了胖鹅和小花狗。想起他们，小房子就觉得惭愧。

　　"我真傻，"小房子不知是在对自己说，还是在对小翘辫儿和小跟头说，"和大风车、钟楼做邻居多好！让胖鹅和小花狗住进来也不错！"

　　"我们为什么不去找他们呢？"

小翘辫儿和小跟头说得对。为什么不去找他们呢？

穿着鸟窝鞋的小房子迈开大步又走了，脚步声轻轻的，轻轻的，再也不是"夸夸夸"的声音。

小翘辫儿和小跟头在小房子里，一摇一摇，一摇一摇，好好玩哪！

小房子找到了小花狗，小花狗跳进小房子里来；小房子找到了胖鹅，胖鹅跑进小房子里来。

小房子找到了大风车，找到了钟楼。小翘辫儿和小跟头从门窗里伸出头，看风车在夕阳里悠悠地转，听钟声在晚风里当当地响。小房子的前面，有胖鹅在小河里游水；小房子的后面，有小花狗在草地上奔跑。

这样的小房子，才是世界上最棒最棒的小房子。

开心稻草人

人都有不开心的时候，小翘辫儿也有不开心的时候。不高兴的时候，小翘辫儿就会去麦田边找稻草人，因为他是一个快乐的稻草人，他快乐，他想让别人也快乐，所以他总会找出各种各样

的理由来让本来不开心的小翘辫儿开心起来。

小翘辫儿来到麦田边，见有许多小鸟在麦田周围飞来飞去。可是，稻草人站在那里，还是一副很开心的样子。更让小翘辫儿吃惊的是，他的肩头还站着一只小鸟，他正在给这只小鸟讲故事呢。

"稻草人!稻草人!"小翘辫儿十分着急，"麦田里飞来了好多好多小鸟。"

稻草人却一点都不急，他笑眯眯地对站在他肩头的那只小鸟说："你去把麦田里的小鸟都叫过来，我有好多好多的故事要讲给他们听。"

小鸟飞走了。

小翘辫儿不明白稻草人为什么不去把小鸟赶走，还要给他们讲故事。

稻草人说："小鸟们都来听我讲故事，就不会去啄田里的麦粒了。"

嘿，说得还真有道理!

刚才站在稻草人肩头的那只小鸟又飞回来了，她的后面还跟着一大群鸟。小鸟们呼啦啦地都飞到稻草人的帽子上、肩上和他那两条伸得直直的手臂上。

"讲故事!讲故事!"

小鸟们唧唧喳喳地叫道。

"你们先安静下来，让我先来问问这位小姑娘。"稻草人
用温和的语气问道，"小翘辫儿，你
今天好像有点不开心？"

小翘辫儿摇摇头："我也不知道
我为什么不开心。"

"可是你今天应该
高兴啊！"看，
稻 草 人

很快就为小翘辫儿找到了一个开心的理由，"因为你今天穿了一双兔兔鞋！"

小鸟们唧唧喳喳地嚷开了："好漂亮的兔兔鞋呀！"

"是吗？"小翘辫儿并起她的双脚，这才发现她脚上的兔兔鞋真的很可爱。

小翘辫儿学兔子那样跳了跳，两只兔兔鞋跟两只真的小兔子一模一样。

小翘辫儿告别了稻草人，跳着走了。

小翘辫儿越跳越开心，竟咯咯咯地笑出声来。草地上，兔妈妈正带着一群小兔子在吃草，听见小翘辫儿的笑声，他们都好奇地看着她。

"妈妈，这个小女孩为什么笑？"一只小兔子问她的妈妈。

"因为她开心。"

"妈妈，你看！两只小兔子！"

兔妈妈的眼睛盯住了小翘辫儿的兔兔鞋，她以为那是她的两个孩子，因为他们的样子完全一样，兔妈妈便不顾一切地朝小翘辫儿跑去。

小翘辫儿不知道发生了什么事，吓得撒腿就跑。

"站住！"

兔妈妈两眼紧盯着小翘辫儿的兔兔鞋，她心里很纳闷儿。她的两个孩子怎么跑得这么快？

小翘辫儿一边跑，一边扭过头来问道："兔妈妈，你为什么要追我？"

兔妈妈根本听不见小翘辫儿的问话，因为她的心思都在她的两个"孩子"身上。

跑呀，跑呀，小翘辫儿跑丢了一只兔兔鞋，她不敢停下来捡，只好穿着一只鞋跑。跑了一会儿，又丢了一只兔兔鞋，小翘辫儿还是不敢停下来捡，只好光着脚丫跑。

小翘辫儿赤着双脚跑了一会儿，她感觉兔妈妈没有追她了，便躲在一棵大树后面，她看见兔妈妈正把两只兔兔鞋抱在怀里。

啊哈！小翘辫儿明白兔妈妈为什么要追她了。原来，兔妈妈把两只兔兔鞋当做自己的两个孩子了！小翘辫儿笑啊，笑啊，开心得不得了。

小翘辫儿开开心心地回到小房子里，小跟头却在那里不开心。

"小跟头，你为什么不开心？"

小跟头说："要下雨了。"

小翘辫儿看看天空，乌云已经遮住了太阳，真的要下雨了。她想到稻草人不能淋雨，就和小跟头一道，去给稻草人送雨衣。

他们跑到麦田边的时候，已经开始落雨点了。稻草人正在和小鸟们告别。

"下雨了，快回家去吧！"

"稻草人，我们明天还要来听你讲故事。"

"欢迎再来！欢迎再来！"

小鸟们唧唧喳喳地飞走了。

小翘辫儿和小跟头把黑色的大雨衣给稻草人穿上，配上稻草人原本戴在头上的那顶黑帽子，他简直就像电影里的黑衣大侠。

"哇噻！"小翘辫儿发出一声惊叫，"好帅呀！帅呆了！"

"我真的很帅吗？"稻草人开心极了，"我希望天天下雨，这样，我就可以天天都这么帅。"

稻草人发现小跟头好像不开心，就问道："小跟头，你不喜欢下雨?"

小跟头说，下雨时，不能踢足球，不能骑自行车，什么都不能玩，只能待在小房子里。

"谁说下雨的时候什么都不能玩?"稻草人很快又为小跟头找到了开心的理由，"下雨的时候，你可以玩更好玩儿的游戏。"

说着，稻草人便摇晃着他那黑色的大雨衣："你想不想和我一道在雨中玩黑衣大侠的游戏?"

小跟头一拍后脑勺："对呀，我也可以扮黑衣大侠!"

小翘辫儿用手比了一下，小跟头才齐稻草人的腰高。

"你这么矮，根本不像黑衣大侠!"

"但是我有办法。"小跟头跑回小房子里去装扮了。

小翘辫儿把稻草人从麦田边拔出来，举在手中。又长又大的黑雨衣把小翘辫儿遮得严严实实的，完全看不出稻草人下面还有一个小人儿，人们只会看见一个黑衣巨人在雨中慢慢地行走。

在树林里，人们看见了另一个黑衣大侠也戴着黑帽子，穿着又长又大的黑雨衣。

"哈，又来了一个黑衣大侠!"稻草人说。

小翘辫儿躲在稻草人的雨衣里往外瞧，有点不相信那是小跟

头扮的黑衣大侠。

"那是小跟头吗?他怎么会突然变得那么高?"

这个黑衣大侠和那个黑衣大侠走近了，小翘辫儿一看，那个黑衣大侠果然是小跟头。

"喂!"小翘辫儿把稻草人的大雨衣拉开一点点，问小跟头，"你怎么会那么高?"

"现在不告诉你!"

小跟头把他的雨衣拉得紧紧的。

雨下得更大了，密密的雨丝仿佛把天和地都连接在一起。树林里，几乎所有的小孩子都被妈妈关在了屋子里，他们不能出来玩，只能在窗子里边，看窗子外边。

就在这时，孩子们看到了什么呢?

他们看见了两个黑衣大侠。这两个黑衣大侠还向他们招手，走到他们的窗前，啪啪啪地轻轻拍着玻璃窗，隔着玻璃跟他们亲脸。最后，他们终于发现这两个黑衣大侠，一个是稻草人，一个是小跟头。

稻草人掀开他的大雨衣，原来里边还藏着一个小翘辫儿，是她举着稻草人在雨中行走。

小跟头掀开他的大雨衣，原来他脚下踩的是高跷，难怪他会一下子变得那么高。

这难道不是雨天里最好玩儿的游戏吗?

那些窗口边的孩子都不见了。他们都到哪儿去了呢?

孩子们都踩着高跷，穿着各种颜色的雨衣，从房子里出来了。有戴着绿帽子、穿绿雨衣的绿衣大侠，有戴着蓝帽子、穿蓝雨衣的蓝衣大侠，还有戴红帽子、穿红雨衣的红衣大侠……原来，在下雨天，孩子们也一样可以开开心心地玩儿。

小蜡人儿和小铜人儿

小翘辫儿有个心爱的玩具小蜡人儿，小跟头有个心爱的玩具小铜人儿。他们把这两个小人儿并排摆在高柜上。可是，小蜡人儿不喜欢小铜人儿，小铜人儿也不喜欢小蜡人儿，他们整天吵来吵去。

小蜡人儿说："我这么漂亮，你那么丑，我真不想跟你站在一起。"

"你漂亮有什么用?"小铜人儿说，"你敢不敢从这高柜上往下跳?"

当的一声，小铜人儿从高柜上跳到地上来。小蜡人儿不肯服输，也从高柜上跳了下来。

"哎哟——"

小蜡人儿哭起来，她摔伤了。

正在外面玩跷跷板的小翘辫儿和小跟头跑过来，把小蜡人儿从地上扶起来。

小翘辫儿抚摸着小蜡人儿身上的裂痕，说："没关系，只摔坏了一点点。"

"摔坏了一点点还是摔坏了。"小蜡人儿哭得更伤心了，"我再也不是完美的小蜡人儿了。"

为了哄小蜡人儿开心，他们让小蜡人儿和小铜人儿去玩跷跷板。

小蜡人儿在跷跷板的一端坐好了。小铜人儿刚坐上跷跷板的另一端，跷跷板就把小蜡人儿抛到天上去了。

眼看着小蜡人儿要从天上掉下来了，幸好小跟头跑得快，伸手把小蜡人儿接住了，不然的话，小蜡人儿肯定会摔得粉碎的。

小蜡人儿又和小铜人儿吵起来。

"小铜人儿，你根本不会玩跷跷板！"

"我也不想把你弄到天上去，都怪你自己太轻了。"

"都怪你太重了！"

"都怪你太轻了!"

"别吵了!别吵了!"小翘辫儿把他们俩拉开,"我们不玩跷跷板了。"

"那我们玩什么呢?"

"我们来玩滚铁环。"小跟头想出了一个好主意,"我们一直向前滚,看谁滚得远。"他们四个排成一排,滚着铁环向前跑。小蜡人儿身体轻巧,动作灵活,所以她滚得最好,跑在最前面;小铜人儿身体重,动作笨,铁环不听他的使唤,老倒在地上,所以他跑在最后面。

"小铜人儿,你太笨了!"

小蜡人儿只顾回头来取笑小铜人儿,没看见前面拐弯的地方是个山崖,她把铁环滚到山崖下去了。

这个山崖又高又陡,怎么才能把小蜡人儿的铁环捡上来呢?

小跟头说:"我去捡!"

"不行的!"小蜡人儿拉住小跟头,"太危险了,你会摔得粉碎的。"

"我是人,不是小蜡人儿,所以不会摔碎的。"

"可是,你会摔伤的。"小铜人儿帮小蜡人儿说话了,"还是我下去捡吧!"

当的一声，小铜人儿跳下山崖去了。然后，山崖下传来咣当咣当的声音。

那是小铜人儿的身体在大石头上滚动的声音。

"小铜人儿一定受伤了。"小蜡人儿用手捂住眼睛，不敢看。

"小铜人儿好好儿的，你快看！"

小翘辫儿让小蜡人儿看，小蜡人儿才敢看。只见小铜人儿已滚到山脚，捡到了铁环。

小蜡人儿向山脚的小铜人儿大声喊道："小铜人儿，你真棒！"

山谷里响起一阵回声："真棒！真棒！真棒！"

铁环捡上来了，他们又滚着铁环向前跑。

还是小蜡人儿跑在最前边，小铜人儿跑在最后边。他把铁环滚得东倒西歪的。看！他把铁环滚到河里去了。

河水很深，而且流得很急。铁环在几朵白色的浪花间翻腾了几下，就沉下去了。

小铜人儿向大河跑去。

"回来，小铜人儿！"小翘辫儿和小跟头追上去拉住他，"你也会像铁环那样，沉到河底去的。"

"那怎么办呢？"

"我去捡！"

小蜡人儿向大河走去。看！看！小蜡人儿竟能在水上走，就像在地上走路一样。

看！看！小蜡人儿像爬山一样，爬上了一个巨浪，正在向他们挥手："喂——"

哗的一声，巨浪向一块大石头撞去，小蜡人儿不见了，只有无数的水花飞溅在水面上。

"小蜡人儿——"

小铜人儿的喊声把哗啦啦的水流声都盖住了。

"我在这儿——"

小蜡人儿从一朵浪花里升起来，她手里举着小铜人儿的铁环，从河里向他们走来。

"小蜡人儿，你好棒啊！"

"好棒啊！好棒啊！好棒啊！"奔腾的河水也欢呼起来。

小铜人儿从小蜡人儿手中接过铁环，他们四个又滚着铁环向前跑，一直向前跑。

跑了一天，小翘辫儿和小跟头的肚子都饿了，他们再也跑不动了。

小蜡人儿说："我肚子不饿，我还能跑！"

"你是小蜡人儿，不用吃东西。我是小翘辫儿，我要吃东西。"

小铜人儿说："我肚子不饿，我还能跑！"

"你是小铜人儿，不用吃东西。我是小跟头，我要吃东西。"

小翘辫儿和小跟头都要吃东西，可是，没有火，没有锅，怎么做东西吃呢？

小蜡人儿呼地吹了一口气，头顶上燃起了一朵火，仿佛点燃了一根蜡烛。

小铜人儿把他的手掌放在火上，手掌很快被火烤烫了。

这不就是火和锅吗？

小跟头在小铜人儿的手掌上煎饼，把饼煎得黄黄的、香香的。小翘辫儿在小铜人儿的手掌上炒野菜，把菜炒得青青的、脆脆的。

"真好吃！"小翘辫儿吃着喷香的饼和菜，"谢谢你，小蜡人儿！"

小蜡人儿却说："没有小铜人儿，也做不成这顿饭！"

小翘辫儿和小跟头向小铜人儿鞠了一躬："我们吃饱了，谢谢你！"

"不对！不对！"小铜人儿连连摆手，"没有小蜡人儿，你们也填不饱肚子的。"

没有小蜡人儿不行，没有小铜人儿也不行。小翘辫儿把小蜡人儿向小铜人儿身边推推，小跟头把小铜人儿向小蜡人儿身边推推。

"以后，你们两个再也不要吵架了，好吗？"

　　小蜡人儿不好意思地看看小铜人儿；小铜人儿不好意思地看看小蜡人儿，他们悄悄地拉拉手。

　　天完全黑了，周围黑魆魆的。

　　"我来给你们照路吧！"

　　小蜡人儿吹了一口气，她头顶的烛火又燃起来了。

　　小铜人儿把小蜡人儿轻轻地举起来，架在他的脖子上。小蜡人儿把回家的路照亮了。在这样的黑夜里，小翘辫儿和小跟头一点都不害怕。

　　小蜡人儿和小铜人儿再也不吵架了，他们你爱我，我爱你。白天，他们在一块儿玩；晚上，小蜡人儿就燃起她头顶的烛光，小铜人儿用一只手臂，高高地托举着她，让她的光芒照耀着四面八方。

绿毛怪来了

　　尖嘴鸟在树林里飞来飞去，把一个吓人的消息传播来，传播去。

　　尖嘴鸟飞到兔子家门前，对兔子说："你知道吗?绿毛怪来了！"

　　兔子特别胆小，她吓得躲在家里，再也不敢出门了。

　　尖嘴鸟飞到大象的鼻子上，对大象说："你知道吗?绿毛怪来了!"

　　大象特别胆大，他把长鼻子高高地举起来："我不怕绿毛怪。看我用长鼻子抽他!"

　　尖嘴鸟飞到小房子上，对小翘辫儿和小跟头说："你们知道吗?绿毛怪来了!"

　　小跟头吓得连跟头也不敢翻了，忙问尖嘴鸟："绿毛怪是什么样的?"

　　尖嘴鸟也不知道绿毛怪是什么样子的，她说反正绿毛怪丑极了，挺吓人的。

　　小翘辫儿问道："绿毛怪会吃人吗?"

　　"会的，会的。"尖嘴鸟直点头，"绿毛怪会吃人的。"

小翘辫儿和小跟头赶紧躲进他们的小房子里，把门关得紧紧的。

因为绿毛怪来了，所以树林里再也看不见小动物们做游戏，也听不见小鸟们的歌声，小跟头也不再翻跟头了。

其实，绿毛怪不过是一只背上长着青草的老乌龟，他一点都不知道别人叫他"绿毛怪"，更不知道大家怕他怕得要命。他愉快地哼着歌儿，当然是小声地哼，只有他自己才能听见。

他就这样，一边小声地哼着歌儿，一边慢悠悠地爬着。

这天，绿毛怪爬到兔子家的门前，听见里面传来兔子的哼哼声。原来，兔子怕遇见绿毛怪，不敢出门去吃青草，饿得只剩下最后一口气了。

绿毛怪轻轻地推开兔子家的门，轻轻地爬了进去。

绿毛怪爬到兔子的身边，兔子闻见了青草的芳香，大口大口地吃起来。奇怪的是，兔子一边吃，绿毛怪背上的青草一边长，越吃越多，越长越快。

吃吃吃，长长长……绿毛怪见兔子吃饱了，便悄悄地爬出了兔子的家，悄悄地离开了。

绿毛怪老远就听见了大象的怒吼声，他不知道发生了什么事，便向大象爬去。

大象正在发怒，他的长鼻子在他的身上舞来舞去："绿毛怪，我不怕你！不怕你！"

原来，大象的背上有一只吸血虫，正在吸大象的血。虽然大象十分强大，还有一条了不起的长鼻子，可是，他对这只小小的吸血虫，却一点办法都没有。他还以为这只可恶的吸血虫是绿毛怪呢。

绿毛怪轻轻地爬到大象的身边，爬上他像柱子一样的腿，再爬上他像小山坡一样的背，一口吃掉了正在吸大象血的吸血虫。

绿毛怪悄悄地从大象身上爬下来，悄悄地离开了。

大象身上没有了吸血虫，一下子舒服了许多，他把鼻子高高地举起来："我打败了绿毛怪！我打败了绿毛怪！"

下雨了，绿毛怪爬到一座小房子的屋檐下来躲雨。这正是小翘辫儿和小跟头的小房子。

绿毛怪听见房子里有滴答声，他往里面一瞧，原来，房顶漏雨了。

绿毛怪轻轻地爬上小房子的房顶，爬到那个漏雨的地方。

小房子不再漏雨了。

小翘辫儿以为雨停了，跑到外面来。

小跟头以为雨停了，跑到外面来。

雨没有停，还在哗哗地下。他们看见房顶上有一丛青草。

小翘辫儿说："奇怪耶，房子怎么突然不漏雨了？"

小跟头说："奇怪耶，房顶上怎么会有一丛青草？"

雨停了，太阳出来了。绿毛怪悄悄地从房顶上爬下来，悄悄地离开了。

绿毛怪就这样轻轻地、悄悄地在树林里爬来爬去，爬来爬去，没有谁发现他，也没有谁注意他。

有一天，尖嘴鸟不小心折断了翅膀，从空中摔下来，落在地上，她再也飞不起来了。

尖嘴鸟痛苦地呻吟着，绿毛怪听见尖嘴鸟的呻吟声，飞快地向尖嘴鸟爬去。

绿毛怪来到尖嘴鸟的身边。尖嘴鸟正伤心地哭诉着："我再也不能在太阳升起的时候，去山坡上唱歌了；我也不能在太阳落山的时候，去河边闻花香了；我不能去兔子家串门了，不能看小翘辫儿跳舞，看小跟头翻跟头了……"

尖嘴鸟说够了，也哭够了。她突然发现她的身边有一丛青草，便对自己说："我为什么不躺进这丛可爱的青草里睡上一觉呢？"

尖嘴鸟耷拉着一只翅膀，好不容易跳到了绿毛怪的背上。

躺在这丛柔软、芬芳的青草里，尖嘴鸟很快就睡着了。可是，绿毛怪却没有睡，他正朝着尖嘴鸟每天早晨都会飞去唱歌的山坡，爬呀，爬呀……

第二天早晨，当太阳升起的时候，尖嘴鸟惊喜地发现她正在山坡上。尖嘴鸟亮开歌喉，唱起了婉转动听的歌。

唱完了歌，尖嘴鸟正想到兔子家去串门儿，却发现她已经快到兔子家的门口了。

"兔子！兔子！"尖嘴鸟高声叫道。

兔子从家里跑出来，她大吃一惊："尖嘴鸟，你怎么会躺在一丛青草里？"

"这是一丛多么美丽、多么可爱的青草啊！"尖嘴鸟赞美道，"我能够到山坡上去唱歌，到你家来串门儿，多亏了它啊！"

"我也遇见过一丛青草。"兔子说，"当我饿得要死的时候，是这丛青草救了我的命。"

尖嘴鸟还问兔子遇见过绿毛怪没有。

"没有。"兔子摇摇头，"我只遇见了一丛青草—— 一丛美丽、可爱的青草。"

兔子又问尖嘴鸟遇见过绿毛怪没有。

"我也没有。"尖嘴鸟摇摇头，"我只遇见了一丛美丽、可爱的青草。"

尖嘴鸟告别了兔子，正想去看看小翘辫儿和小跟头，却发现她已经快到他们的家了。

"小翘辫儿！小跟头！"

小翘辫儿从小房子里跑出来。小跟头从小房子里跑出来。

"尖嘴鸟，你怎么会躺在一丛青草里？"

"这是一丛多么美丽、多么可爱的青草啊！"尖嘴鸟赞美道，"我能够到山坡上去唱歌，到兔子家串门儿，到这里来看望你们，多亏了这丛青草啊！"

"我们也看见过一丛美丽、可爱的青草！"小翘辫儿说，"当我们的房顶漏雨的时候，房顶上出现了一丛青草，我们的房顶就不漏雨了。"

尖嘴鸟又问小翘辫儿和小跟头看见过绿毛怪没有。

"没有。"小跟头摇摇头，"我们只看见过一丛青草——一丛美丽、可爱的青草。"

"尖嘴鸟，你看见过绿毛怪吗？"

"我也没有。"尖嘴鸟摇摇头，"我只看见过一丛美丽、可爱的青草。"

太阳快落山了，尖嘴鸟该去河边闻花香了。那丛青草又慢慢向河边爬去。

大脚鸭

听说树林里来了一只鸭子——一只非常可笑的鸭子。

小跟头一边对小翘辫儿说，一边朝小翘辫儿比画着："他的腿这么短，脚这么大，走路是这个样子的。"

小跟头弯着腿，扭着屁股，在学那只可笑的鸭子走路。

"嘎!嘎!嘎!像极了!像极了!"

是谁的笑声这么难听?小跟头一看，只见一只鸭子正站在他的身边。他的腿那么短，他的脚那么大，他正是那只可笑的大脚鸭。

大脚鸭对小跟头说："我知道你在学谁。"

小跟头羞红了脸，小声问道："谁?"

"你在学我。"大脚鸭大大方方，一点都不觉得难为情，"学得挺像的。"

大脚鸭说完，一摇一摆地走了。

这是一只与众不同的鸭子!小翘辫儿和小跟头都一下子喜欢上了这只大脚鸭，他们不知不觉地跟在他的身后。

大脚鸭来到旱冰场，只有两只小白兔在那里滑，她们姿势优

美，身轻如燕，其他的动物都站在旁边观看。

大脚鸭问一只在旁边看得起劲的棕熊："滑旱冰多好玩哪！你怎么不去滑？"

棕熊直摇头："我的姿势不好看，他们会笑话我的。"

大脚鸭又问小翘辫儿和小跟头："你们怎么不去滑？"

小翘辫儿和小跟头直往后躲："我们不会滑。"

"不会，可以学嘛！"

小翘辫儿说："如果我们摔倒了，会被人家笑的。"

"你们不去，我去！"穿着旱冰鞋的大脚鸭，横冲直撞地过去了，他嘴里还大叫着，"停！停下！"

可是，他脚下的旱冰鞋不听他的使唤，直向一棵大树冲去。

"哦噢！"

大脚鸭两脚朝天，旱冰鞋的轮子还在飞转着。

大家笑呀，笑呀……棕熊笑疼了肚子，小翘辫儿笑出了眼泪，小跟头笑得在地上直翻跟头。

"这大脚鸭太可笑了！"

"他那么笨，怎么可以去滑旱冰呢？"

大脚鸭从地上站起来，毫不理会别人对他的嘲笑，大大方方地朝旱冰场滑去。

　　大脚鸭又摔了一跤，笑声又一次响起，他就像没听见一样，又大大方方地从地上站起来，大大方方地学滑旱冰。

　　大脚鸭又接连摔了几跤，可是，笑声越来越少，越来越少。后来，已经没有谁再笑他了，大家都用敬佩的目光看着他，看着他一点一点地进步。

　　大脚鸭越滑越好，他已经能滑出漂亮的弧线，还能跷起一只脚作单脚滑，还能飞快地旋转。

　　棕熊使劲地拍着他的大熊掌："太棒了！太棒了！"

　　小翘辫儿对小跟头说："我们也去滑旱冰吧！"

　　"你不怕别人笑你吗？"

　　"不怕！大脚鸭不怕，我也不怕！"小翘辫儿说，"你看大

脚鸭现在不是滑得挺好吗?"

小翘辫儿和小跟头换上了旱冰鞋,棕熊也换上旱冰鞋。

"来呀!"大脚鸭向他们大声喊道,"我们大家一起滑。"

他们都学得很认真,不停地摔倒,可是没有谁笑话他们,因为大家都在学滑旱冰,大家都在摔倒,又都大大方方地站起来,继续学。

小翘辫儿滑得挺好,小跟头滑得挺好,棕熊也滑得挺好。

当大家正为他们大声喝彩时,大脚鸭却不滑了。他脱下旱冰鞋,一摇一摆地又走了。

"大脚鸭,你上哪儿去?"小翘辫儿和小跟头追上大脚鸭问。

大脚鸭抬起他的一只脚:"我去买一双皮鞋。"

"真好玩儿!"小翘辫儿咯咯地笑起来,"大脚鸭要穿皮鞋。"

小翘辫儿和小跟头跟着大脚鸭去买皮鞋。

大脚鸭走进一家漂亮的皮鞋店。

"我要买皮鞋!"

"你要买皮鞋?"皮鞋店里所有的人都笑起来,"没见过脚这么大的鸭子。"

"那我就买一双大皮鞋。"大脚鸭才不理睬别人的嘲笑呢。他大大方方地为自己挑选起皮鞋来。

"请把这双拿来试试!"大脚鸭指着一双红色的皮鞋。

卖鞋的小姐忍住笑,把那双红皮鞋拿给大脚鸭试穿。

"这双鞋太小了,请给我换一双大点的。"

见大脚鸭一本正经的样子,卖鞋的小姐不再取笑他了,认认真真地为他服务。

大脚鸭又试穿一双黑皮鞋。他穿着走了两步:"挺合适。我就买这双了。"

当大脚鸭穿着这双锃亮的黑皮鞋走出皮鞋店时,大家不仅没有取笑他,反而还直夸他。

"多神气啊!"

"简直帅呆了!"

穿着黑皮鞋的大脚鸭,走在路上,"夸夸夸","夸夸夸"……许多人都停住脚步看他。大脚鸭大大方方地向这些人点头问好,别人也向他点头问好。

大脚鸭来到一个广场上,这里正在表演节目,四只洁白的小天鹅刚跳完"小天鹅舞",迈着优雅的步子走下舞台。

主持节目的猫小姐走上台来:"现在,谁愿意上台来为我们表演节目?"

"我来!"

穿着黑皮鞋的大脚鸭"夸夸夸"地走向舞台。当他从四只小天鹅身边经过时，她们都弯下美丽的长脖子，在悄悄笑他。

"这么丑的鸭子也会表演节目?"

"瞧他那双脚!"

大脚鸭就像没听见一样，他已走上了舞台。

猫小姐问他："这位鸭先生，你是为我们表演唱歌，还是表演跳舞?"

大脚鸭接过猫小姐的话筒，大大方方地回答："我为大家表演跳舞，表演踢踏舞。"

"鸭子怎么能跳踢踏舞!"

不知哪些讨厌鬼在下面起哄："大脚鸭——下去!大脚鸭——下去!"

大脚鸭毫不理会台下的喧闹声，自顾自地跳起来。

嗒嗒嗒嗒!嗒嗒嗒嗒!

嗒嗒嗒嗒嗒嗒——嗒!

嗒!嗒!

大脚鸭的大皮鞋居然能敲出这么好听的踢踏声!台下渐渐地安静下来，大家静静地倾听着这轻快的踢踏声。

听着听着，大家都管不住自己的脚了，随着大脚鸭的节奏跳

起来，可是他们都没有穿大皮鞋，所以都踢不响。

猫小姐宣布："现在，大家都去穿一双大皮鞋来，我们要举行一场踢踏舞会！"

台下的观众一哄而散，都向皮鞋店跑去。

四只小天鹅去买了四双红色的大皮鞋；小翘辫儿穿了一双黄色的大皮鞋；小跟头穿了一双蓝色的大皮鞋。

四只小天鹅在和大脚鸭一起跳。

嗒嗒嗒嗒!嗒嗒嗒嗒!

嗒嗒嗒嗒嗒嗒——嗒！嗒!嗒！

小翘辫儿在和小跟头跳。

嗒嗒嗒嗒!嗒嗒嗒嗒!

嗒嗒嗒嗒嗒嗒——嗒！嗒！嗒！

广场上，所有的人、所有的动物都在跟着大脚鸭跳。

嗒嗒嗒嗒!嗒嗒嗒嗒!

嗒嗒嗒嗒嗒嗒——嗒！嗒！嗒！

牵手阅读

一座小房子，当他看不惯周围的一切、拒绝帮助他人、也不接纳他人的友谊的时候，他是孤单和不快乐的，而且很快就变成了树林里的一座破旧的小房子。可是，当友爱的烛光一旦把他照亮，他变得愿意接纳他人，也愿意与他人分享友爱的时候，他不仅感到了温暖和快乐，而且对自己也充满了信心。结果，他很快就变成了一座散发着清香味儿的绿色小屋……

这是一篇温暖而美丽的童话。童话中的这种温暖和美丽，实际上是友爱、关怀、尊重、接纳、谦让、奉献、自信等等美德所散发出来的。这些闪光的美德，在小跟头、小翘辫儿、爬山虎、蝴蝶、小鸟、稻草人、小蜡人和小铜人、尖嘴鸟和老乌龟，还有大脚鸭那里，你都可以找到。当世界上处处充满着美德的温暖与光芒时，我们的生活也就像会走路的小房子所见到的这个童话世界一样，快乐、和谐并且可爱。要相信，美德潜藏在每一个人身上，你闪出一丝光芒，世界就多了一丝光芒；你献出一份温暖，世界就多了一份温暖。

有月亮的晚上。

柔柔的月光拥着熟睡的大地。花儿睡了，合拢了芬芳的花瓣；鸟儿睡了，准备着明天的歌唱；小孩儿睡了，在甜甜的梦里咂着嘴儿笑……

大地真的沉睡了吗？

月亮轻轻地摇头。

她看见了，看见了一只老鼠从草地上的一个小洞里钻出头

来。他那尖尖的小耳朵支棱着，圆圆的小眼睛滴溜溜地转着，周围的一切都令他满意，只是那闪烁着柔柔光辉的月亮令他讨厌。他愤愤地怒视着月亮，朝她唾了一口，示威似的蹿出洞来，对月亮挥舞着拳头。他的身体十分健壮，可惜他没有尾巴，他是一只秃尾巴老鼠。

夜，静得像凝固了一般。

秃尾巴讨厌月亮，却喜欢这夜的静。这静使他兴奋无比，信心百倍；这静使他勇往直前，今晚他将大有作为，满载而归。

秃尾巴飞奔着，他跑得歪歪扭扭的，因为他没有尾巴，身体不能保持平衡，可这并不影响他奔跑的速度。

进了村庄，他熟门熟路地摸进一间厨房，十分老练地打开食品柜，里面放着几盘剩菜和一碟花生米。秃尾巴拣了两颗花生米扔进嘴里，对那几盘剩菜不感兴趣，却开心地在每个盘子里拉了几粒屎，幸灾乐祸地蹿进了另一家的厨房。

这家的厨房里，情形却不太妙：所有的柜子都被锁得严严实实的，厨房当中却摆着一条肥肥的烤鹅腿，散发着浓浓的香气。

秃尾巴正想冲过去，脑子里却闪出几个"为什么"来。柜子的门都被小心翼翼地上了锁，一条烤鹅腿却被粗心大意地扔在地上，这情形正常吗?哦，秃尾巴想起来了，昨晚他就是在这家痛痛快快地打了一顿牙祭，他把放在食品柜里的一整只烤鹅啃得遍体鳞伤。秃尾巴好不容易才咽下直往上冒的口水，狡黠地笑了。这条喷香的烤鹅腿是被下过毒的，他才不会上当呢！秃尾巴头也不回地跑了。

秃尾巴毫不气馁，又进了第三家的厨房。他一打开这家的食品柜，就立刻心花怒放。几根胖胖的红肠油汪汪地躺在盘子里等着他呢！

秃尾巴抱住一根就啃。直到吃得肚皮胀鼓鼓的了，他才挑了一根最胖最亮的红肠，用四只爪子紧紧地夹住，跳到地上，然后把红肠横在面前，前爪一推，红肠便像轱辘似的向前滚动起来。这可是秃尾巴的绝活儿，从前，他偷鸡蛋也是这么干的。

突然，一个声音在厨房里响起来："嘻嘻，你真会玩儿！"

秃尾巴丢掉红肠，箭一般地向外射去。

奇怪得很，已跑出了好远，那声音还萦绕在秃尾巴的耳边。"嘻嘻，你真会玩儿！"这声音甜甜的，清亮得好似高山流水。

秃尾巴的脚步慢了下来，鬼使神差地掉头向回跑去。他说不清这到底是为了那根胖胖的红肠，还是为了那好听的声音。

回到那间厨房，他跳进菜篮子里，用菜叶把自己隐蔽起来，露出两只眼睛。

那根胖胖的红肠依然油汪汪地躺在地上，秃尾巴的目光掠过它，在整间房子里搜寻着。

厨房里洒满月光。秃尾巴看见墙角挂着一个铁丝网笼，一只浑身雪白的小白鼠在笼子里跳来跳去。她雪白的皮毛透着淡淡的粉红，而清幽的月色，又给她裹上了一层蛋清色的轻纱。

秃尾巴呆呆地看着她，看得眼珠子都转不动了。他真不敢相信在他的同类里还有如此美丽、如此可爱的小白鼠。可以肯定，刚才那好听的声音就是她发出来的。

小白鼠一刻也不停地重复着相同的动作：跳上铁丝网，可站不了一会儿，又跌落下来，又跳上去，又跌落下来……

"她要干什么？"秃尾巴好奇地走了过去。

小白鼠也看见了秃尾巴。

"你怎么不玩刚才那个游戏了？是我吓着你了吗？"

"玩游戏？她把我干的活儿看做玩游戏，如果将她的话学说给哥们儿听，他们不笑掉大牙才怪呢！"秃尾巴在心里嘲笑着这只没见过世面的小白鼠，他当然更不屑于回答她的话，却反问她：

"你在玩什么游戏？"

"我没有玩游戏。"小白鼠很认真地说，"我想爬高一点儿，好看月亮……"

月亮有什么好看的？他想告诉她，他讨厌月亮。唉，何必跟一个什么都不懂的小丫头讨论这些问题呢？

"月亮一直在看着我，对我笑，还对我说话，只不过她离我远，我听不见……"

"白长了一副机灵相，不仅毫无见识，而且异想天开。"

"你说什么？"

"我说……"望着小白鼠那双天真无邪的眼睛，秃尾巴不好意思重复刚才的话，他突然产生了一个要捉弄捉弄小白鼠的念头。

"月亮这么喜欢你，你为什么不到她那儿去？"

小白鼠懊丧地摇摇头："我去不了。"

"我可以带你去呀！"

"真的？"小白鼠两眼闪闪发光。

"我告诉你，"秃尾巴把胸脯拍得啪啪响，"在这世界上，没有我秃尾巴办不到的事情。"

"你太好了！"如果没有铁丝网隔着，小白鼠一定会扑上来拥抱他，亲吻他。

秃尾巴得意扬扬，这么容易就骗得了这个小傻瓜的信任。他一跃而起，几下就弄开了铁丝笼上的门闩。

开门闩的声音惊醒了这家的主人，他打着电筒向厨房走来。秃尾巴一把抱住小白鼠跳下地，逃走了。

二

　　小白鼠跟着秃尾巴来到空旷的原野上，月亮还在天上，显得更大更圆了。

　　小白鼠一边跑，一边说："你看，我们跑得多快，月亮也跟着跑得多快。"

　　秃尾巴不理她，一直往前跑。

　　"你要把我带到哪里去呀?是去月亮那里吗?"

　　秃尾巴猛地转过身来，恶声恶气地吼道："你有完没完?快闭上你的嘴，别做梦了!"

　　小白鼠吓得浑身一颤，两眼泪汪汪的，再也不敢出声了。

　　也许是小白鼠这可怜巴巴的样儿使秃尾巴动了一点点恻隐之心，他的语气里掺着一丝柔和，连他自己都不相信这会是他的声音："好啦，好啦，我会带你到月亮那里去的。"

　　"我早就知道你不会骗我的。"小白鼠的眼角还挂着泪珠儿，小脸却已笑得像绽放的花朵，她飞快地在秃尾巴的脸上吻了一下，"你真好!"

"我好吗？"秃尾巴摸着那刚被吻过的脸，他心里有点难过，为自己的邪恶，也为小白鼠的天真。

"秃大哥，你坐在这里赏月呀？"

秃尾巴回过神来一看，只见他的一个兄弟拖着另一个兄弟过

来了。被拖着的兄弟四脚朝天地躺着，怀里抱着一块同他身体一般大的烟熏牛肉。

一个兄弟说："秃大哥，你今晚一定收获不小吧？"

另一个兄弟说："是呀！不然怎么会有闲情逸致在这里赏月呢？"

秃尾巴从来都是逞强好胜的。他用眼角瞟了瞟那块牛肉："这算什么？我刚才到手的那根红肠……"

他看见小白鼠好奇地眨巴着眼睛正在专心地听他说呢。秃尾巴急忙吞下了到了嘴边的话。

"红肠在哪儿呀？"那两个家伙怪声怪气地做寻找状，"让我们也来见识见识。"

他们发现了在草丛里的小白鼠，便指着小白鼠问秃尾巴："你说的红肠就是她吗？"

"哈哈哈！"

那两个家伙笑得浑身乱颤，小白鼠吓得连连后退。

秃尾巴气势汹汹地冲到他们俩跟前，咧着嘴，龇着牙，向他们步步逼近："你们两个想找死吗？"

那两个家伙深知秃尾巴心狠手辣，一听这话，立刻求饶："不敢，不敢。秃大哥，饶了我们这一遭吧！"

秃尾巴飞起一脚，正要朝他们踢去，小白鼠跑过来拉住他："不要！不要！我不要你这样！"

秃尾巴无可奈何，只得朝那两个家伙大喝一声："还不快滚！"

那两个家伙刚跑了几步，又折了回来，一个家伙抱起那块牛肉就地一滚，另一个家伙拉起他的尾巴就跑。

"你对他们为什么那么凶？"

"你刚从笼子里出来，不知道外面的世界是很凶险的。你什么都不知道，正是你的福气呢！"

小白鼠似懂非懂地点点头，忍不住又问道："他们为什么要拉着尾巴走路？"

秃尾巴沉默着，他在想怎样回答小白鼠的这个问题。他不想告诉她这是他秃尾巴的发明创造。

有一次，他偷到一条比他身体还长的油炸鱼，鱼是扁的，不能像推鸡蛋和红肠那样滚着走，他联想起人们搬运重物爱用的拖车，灵机一动，便有办法了！他回洞里唤来一个兄弟，让那兄弟躺在地上，将那兄弟的尾巴扛在肩上，把那兄弟当做拖车，很顺利地把油炸鱼运回了洞里。从此，众老鼠争相仿效，这个办法大大地增加了他们偷窃食品的数量并提高了质量。秃尾巴也从不放弃任何能炫耀他的这个发明创造的机会，可今天在小白鼠面前，他却羞于启齿。

这是怎么啦？

小白鼠撒娇似的摇着秃尾巴："你快跟我说嘛！他们为什么要拉着尾巴跑？"

"他们……他们也是在玩游戏。"他想这样回答她最好。

"我们俩也来玩这个游戏好吗？"小白鼠要去拉他的尾巴，这才发现他没有尾巴，她惊叫道："哎呀！你的尾巴哪儿去了？"

这又是一个不便回答的问题。

那是去年的除夕夜，他在一间厨房的案板上偷腊肉吃，被人一刀斩断了尾巴。当他逃回洞里时，大伙儿见他的尾巴是没有了，但嘴里却死死地咬着一块很大的腊肉，这不能不让众老鼠

十二分地敬佩他，他成了老鼠们心目中的英雄。而秃尾巴自己呢，只要一有机会，他准会把这段他引以为荣的往事添油加醋地吹上半天。

这段光荣的历史为什么对谁都能说，就是不能对小白鼠说呢?秃尾巴自己也说不清楚，也许仅仅是因为她那双清澈的眼睛里没有贪婪，没有狡诈，没有阴谋……

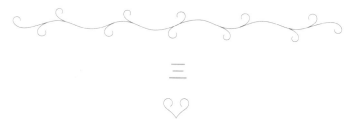

三

和小白鼠在一起的时间过得真快，不知不觉，月亮已不知藏到哪里去了，横在天边的是一抹淡淡的彩霞。

这时，秃尾巴显得异常紧张不安，他得赶紧回到洞里去，他从来没有在光天化日之下待过，这光明的世界不属于他秃尾巴，他只喜欢黑夜，特别是那种黑得伸手不见五指的黑夜。

"走，快离开这儿!"

"为什么要离开?"小白鼠正在看那鲜红的太阳从彩霞间一点一点地跃出来，"你要带我去你的家吗?"

"家?"秃尾巴想到了那个肮脏的地洞，里面挤满了吵闹不休的老鼠，遍地是霉得发臭的食物，那就是他的"家"。

怎么能让小白鼠去这样的地方？

"你放心地玩吧！我给你放哨。"

"放哨？你在防备谁？你怕他吗？这是为什么？"

秃尾巴被这一连串的问题弄得哭笑不得。他不再有瞧不起小白鼠的意思了，反倒有点羡慕起她来。羡慕她没有他的见识，没有他的经历，她用不着防谁，也用不着怕谁，她活得真实，活得坦然。

秃尾巴努力使自己全身放松，他跟小白鼠跑，跟小白鼠跳，跟小白鼠唱……

在明媚的阳光下，在遍地鲜花的原野上，有快乐的小白鼠，有很想使自己快乐的秃尾巴。

小白鼠说："如果能用天上的彩霞做一条裙子，穿在身上不知有多么美丽啊！"

秃尾巴脱口而出："你闭上眼睛，我上天去给你裁一片彩霞下来做裙子。"

小白鼠闭上了眼睛。

秃尾巴在花丛间奔跑，他心中懊恼极了："我又骗了她，我又骗了她！我到哪里去给她找一片彩霞？"

蝴蝶飞来为他引路。

蝴蝶停在一朵鲜花上。秃尾巴一看，这花儿不正像彩霞做成的一条裙子吗?花儿是喇叭形的，花边上是一圈浓浓的赤、橙、黄、绿、青、蓝、紫，七种颜色轻轻地拢向花心，跟天上的彩霞一模一样。

秃尾巴采下这朵来自太阳身边的七色花，顶在头上，跑回小白鼠的身边。

他把七色花轻轻地围在她的腰间。

"你现在可以睁开眼睛了。"

小白鼠睁开了眼睛，她惊讶得合不上嘴。她真的穿上了用彩霞做的裙子！

穿着彩霞裙的小白鼠旋转着，跳跃着，热烈地舞蹈着，好似彩霞间的一个白色的小精灵。

她舞到秃尾巴的身边，兴奋得声音发颤："我还想要一顶花冠，把那红红的太阳镶在花冠的中间。"

"你再闭上眼睛。"

小白鼠又闭上了眼睛。

秃尾巴在原野上奔跑着，他希望奇迹能再一次出现。

小鸟飞来为他引路。

他跟着小鸟来到绿草如茵的小河边。小鸟啄来一颗鲜红滚圆的浆果放在他的面前，又衔来五颜六色的小花儿，做成一顶花冠，把那红宝石般的浆果镶在花冠的中间。

秃尾巴捧着这顶镶着"太阳"的花冠，连蹦带跳地回到小白鼠的身边，把它轻轻地戴在小白鼠的头上。然后，把她牵到小河边。

"现在，你可以睁开眼睛了。"

小白鼠睁开了眼睛。

水中的小白鼠，绚丽的彩霞簇拥着她，辉煌的太阳照耀着她，她分明是一个光明的小天使。

小白鼠的声音像梦呓一般："这一身光明、一身美好的小白鼠是我吗？"

秃尾巴笑了。这是他有生以来第一次由衷的笑、开心的笑。

四

彩霞满天。那鲜红的太阳已跃上了远山的峰巅。

"你看，"小白鼠迎着朝阳，"太阳正站在高山上向我们招手呢。你快带我飞到太阳那里去吧！"

"太阳是你的，不是我的。"

"不对！太阳是我们大家的。"

秃尾巴知道分别的时候就要到了，他的眼睛里热乎乎的。

"小白鼠，我要感谢你给了我这个美妙的早晨。"

"不，应该感谢你，你给了我彩霞，给了我太阳。"

哦，这今生今世永难忘怀的早晨！

小白鼠走了，她追赶太阳去了。

秃尾巴望着小白鼠远去的身影。她已跑上了那高高的峰巅，她腰间的那片彩霞已和满天的彩霞连成一片。

小白鼠还在跑，向着太阳。

她的身影越来越小，越来越小……最后什么都看不见了，只有满天的彩霞和一个鲜红鲜红的太阳。

牵手阅读

　　一只一直生活在世界底层、过着没有尊严也没有高远目标的日子的秃尾巴老鼠，因为遇见了一只心地纯净、善良的，有着美好的梦想和追求的小白鼠，他的精神状态也渐渐地发生了改变。他在救出了善良的小白鼠，在发现和认识到了小白鼠纯洁与美好的天性的同时，也发现和唤醒了沉睡在自己心灵深处那同样美好的一面……这是一个优美而温婉的童话故事。这个童话的情节虽然并不复杂，但与世界著名童话作家凯特·迪卡米洛那部获得纽伯瑞儿童文学奖"金奖"的作品——《浪漫鼠德佩罗》，有着异曲同工之妙。

　　在《浪漫鼠德佩罗》里，一只原本体弱多病的小老鼠，爱上了一位美丽的公主。关键时刻，小老鼠挺身而出，只身冒险进入黑暗的地牢，营救出自己所爱的公主，谱写了一曲浪漫动人的爱的乐章。这部作品有一个伟大的尾声："用我整个心灵在你的耳边轻轻地讲述着这个故事，为的是把我自己从黑暗中拯救出来，也把你从黑暗中拯救出来。故事就是光明。我希望你已经在这里找到了某种光明。"这篇童话里也有这种"光明"。它来自小白鼠高洁、善良的心地，也来自小白鼠所向往和追赶的那个象征着美好的梦想与追求的目标——太阳。同时，这种"光明"也来自每一个生命对自己美好的那一面的认识与发现。

鼹鼠妈妈有许多孩子，她一心想把她的孩子们都教育成具有优良品质的好孩子。孩子们还小，听不懂大道理，但她知道，孩子们都喜欢听故事。鼹鼠妈妈就把一个一个的道理，融进一个一个的故事里，让她的孩子们听着故事，快快乐乐地长大。

金瓜汤，银瓜汤

狼狐的吝啬是出了名的。可是，谁家请客，你准能在餐桌旁见到他。

这一天，白鹅太太请客，餐桌旁当然又少不了狼狐。白鹅太太做的菜非常合狼狐的口味儿，他吃了很多，再加上喝了几口酒，一不小心，他本来不想说的话却从嘴里溜了出来。

"明……明天，我请……请客。"

"你请客？"在座的兔子姐妹、猪猡猡和麻老鸭比听见了"太阳从西边出来"还要惊讶。

"你们不相信？"狼狐急了，"明天我请一天的客，你们从早到晚都在我家吃！你们一定要来啊！"

大伙儿见他是一片真心，便都点头答应了。

晚上，狼狐走在回家的路上。晚风一吹，他的酒也醒了。他想起自己说的明天要请客的话，后悔得不得了，他才舍不得把家里的甜饼、果酱和火腿肠拿出来请客呢！

但是，明天大伙儿都会来。拿什么请他们吃呢？

狼狐到底是狼狐，从来没有被任何事情难倒过，他很快就想出明天用什么请客了。

第二天一早，一轮金色的太阳升上天空，狼狐把火炉搬到太阳下，再把装满水的大锅坐在火炉上，大锅里便有了一个金色的太阳。

"金瓜汤！"狼狐给这锅映着太阳的清水起了一个绝妙的名字。

狼狐刚盖上锅盖，白鹅太太和猪猡猡、麻老鸭、白兔姐妹就来了。

"狼狐，你今天请我们吃什么？"白兔妹妹问。

"金瓜汤。你们喝过吗？"

大伙儿都摇头。

"我就知道你们没喝过。"狼狐煞有介事地说，"我要请客，就一定要请你们吃你们从来没有吃过的东西。"

猪猡猡馋得直流口水："快给我一碗金瓜汤喝吧！"

"别急！"狼狐有意要吊大伙儿的胃口，"金瓜汤要慢慢熬，才熬得出味道。"

大伙儿就围在那口大锅旁，等狼狐熬金瓜汤。

熬呀，熬呀……狼狐在心里都快笑死了，但他忍住笑，一本正经地揭开锅盖，大伙儿的头都聚拢来了。

"哇，这么大的一个金瓜！"白兔妹妹又惊又喜。

麻老鸭左看右看："怎么跟别的汤不一样呢？"

狼狐马上反驳："跟别的汤一样，还叫金瓜汤吗？"

猪猡猡耸耸鼻子，闻了闻："怎么闻不到香味儿呢？"

狼狐给猪猡猡舀上一碗清水："你只要喝上一口，就知道它

的味道了。"

猪猡猡喝了一口，狼狐问他味道怎么样。猪猡猡想说没有味道，但看到狼狐一脸热切期待的表情，就把到嘴边的话又吞了回去，只含糊地说道："好……好……"

狼狐一边在心里骂着傻猪，一边手忙脚乱地给大伙儿舀汤。

看着大伙儿都埋头喝汤，狼狐故意问道："怎么样？味道是不是好极了？"

其实，大伙儿都明白他们喝的是一碗清水，可出于礼貌，大伙儿都不想当众让狼狐难堪，便纷纷点头说好，然后放下碗，向狼狐告别。

"你们别走啊！"狼狐还想继续捉弄这群"傻子"，他热情地挽留大伙儿，"不是说好要吃了晚饭才走吗？"

白鹅太太问："你晚饭准备请我们吃什么？"

"银瓜汤。这也是你们没有喝过的。"

白鹅太太明白了，想了想，说："好吧，我们晚上来！"

狼狐还不放心："一定来啊！"

"一定。"白鹅太太向他保证，"当月亮升到天上的时候，我们一定来。"

自以为聪明的狼狐一点都没听出白鹅太太话中有话，等大伙儿一走，他就笑得在地上打滚儿。

"这几个傻子肯定都是喝傻瓜汤长大的。"狼狐笑啊，笑啊，笑得肚子都饿了。他拿出甜饼、果酱、火腿肠大吃了一顿，最后留下一根火腿肠准备明天吃。

晚上，当月亮升到天上时，白鹅太太他们果然来了，提着篮子来了。

"你们这是……"狼狐心里暗暗高兴，他以为大伙儿给他提来了礼物。

白鹅太太揭开锅盖，锅里有一个又白又大的月亮。

"看看，多好的银瓜汤啊！"狼狐扯着嗓子赞美道。

"我想在银瓜汤里加点东西。这样，味道会更好。"

白鹅太太在锅里放了几根胡萝卜，白兔姐妹放了几朵蘑菇，猪猡猡放了几个土豆，麻老鸭放了几棵香菜。

熬呀，熬呀……一股香味儿从锅里弥漫开来，香得狼狐直想淌口水。

白鹅太太揭开锅盖，只见锅里一片红白黄绿——红的是胡萝卜，白的是蘑菇，黄的是土豆，绿的是香菜。在锅里，独独不见"银瓜"，白鹅太太抬头一看，发现"银瓜"正挂在天上。

狼狐第一次感到害臊，恨不得在地上找道缝儿让自己钻进

去，白鹅太太却连声叫他喝汤。

"等一等，在汤里还应该放一点火腿肠。"

狼狐把藏起来准备明天吃的火腿肠拿出来，全部放进汤里。

大伙儿呼呼地喝着汤。汤的味道好极了，真的好极了！

　　吝啬的狼狐自以为聪明，想用一锅映着太阳的"金瓜汤"和一锅映着月亮的"银瓜汤"来糊弄那些友好的邻居，最后他的心计却被白鹅太太识破了。不过，邻居们并没有什么怨言，更没有责怪他，而是继续用各自的慷慨和友好，让狼狐从心底里感到了羞惭，让他"恨不得在地上找道缝儿让自己钻进去"。结果，大家的友好，使得狼狐良心发现，他拿出了自己藏起来的火腿肠，全部放进汤里，让大家分享了一锅美味。童话家并没有点明这个童话故事的主题，却一心一意地讲述她的风趣的故事。我们在听完故事的同时，也看到了故事讲述者宽容和雅谑的风度。这篇小童话就像一幕小喜剧，狼狐就像一个撒谎的"生手"、骗人的"菜鸟"，而童话家却是一个讲故事的高人、戏谑的老手。

小·迷糊兔

　　小迷糊兔从来不知道自己该干什么，因为他从来就没有自己的主意。

　　秋天来了，小迷糊兔想为自己盖一座温暖的房子。他想盖一座红色的尖顶房子，于是就拉来了木头和砖块，打好了地基，开始砌墙。

　　墙砌好了，他又用木头搭好了房梁。

　　这时，熊大哥来了。

　　熊大哥左看右看，皱起了眉头："哎呀呀！小迷糊兔，你这座房子怎么能盖成尖顶的呢？"

　　小迷糊兔顿时没了主意，问："熊大哥，你看，盖什么样的房子才好呢？"

"我看你盖成平顶的房子好！"熊大哥给小迷糊兔出主意，"春天，你可以在房顶上面晒太阳；冬天，房顶上积满了雪，你还可以在上面堆雪人呢。"

小迷糊兔一听，觉得平顶房子果然好，就把自己已经搭好的房梁稀里哗啦地拆了下来。

当平顶房子正要封顶的时候，大花猫来了。

大花猫看了房子后，直摇头："唉，我从来没有见过比这更难看的房子了。"

"这房子难看？"小迷糊兔一下子泄了气。

"你看，我应该盖一座什么样的房子才好呢？"小迷糊兔又向大花猫讨主意。

"我看，你应该盖一座独特的房子。"

"什么样的房子才算独特呢？"

大花猫眨眨眼睛，说："你没有见过的房子就是独特的。"

小迷糊兔想了半天，觉得别的房子他都见过，好像唯独圆顶的房子他还没见过。

小迷糊兔以为圆顶的房子就是独特的房子。于是，他稀里哗啦地把平顶房子拆了，重新把墙砌成圆形。

这时，秋天就要过去了。

砌好了圆墙，圆顶该怎么盖呢？

小迷糊兔不知道。因为他没见过，所以不会盖。

寒冷的冬天终于到了，北风呼呼地刮。

没有房顶的房子既不能挡风，也不能遮雨，小迷糊兔冻得在墙边缩成一团。

"小迷糊兔，"鼹鼠从土堆里探出头来，问道，"你的房子从秋天盖到冬天，怎么还没盖好呢？"

小迷糊兔满肚子的委屈，他哭了起来："我不会盖圆顶房子。我本来是想盖尖顶房子的，可是熊大哥和大花猫……"

"好啦，不要怪别人了，"鼹鼠用他温暖的小爪子轻轻地碰了碰小迷糊兔，说，"要怪就怪你自己。"

"小鼹鼠，"小迷糊兔又向鼹鼠讨主意，"你看，我该怎么办呢？"

鼹鼠瞪了他一眼，说："自己的事情，自己拿主意。"

小迷糊兔吞吞吐吐地说："我还是想盖一座尖顶的红房子。"

鼹鼠又用他的小爪子轻轻地碰了碰小迷糊兔，说："说大声一点，坚决一点！"

小迷糊兔坚决地、大声地说："我要盖一座红色的尖顶房子！"

小迷糊兔想给自己盖一座温暖的、有尖顶的红房子，却因为一再听信了周围朋友的不同的建议，而最终失去了主见。直到冬天已经到来了，他的房子仍然没有完全盖好。这篇童话的意思其实很明了，那就是小鼹鼠所提醒的："自己的事情，自己拿主意。"只有当小迷糊兔坚定了自己的主见和信念时，他所期待的那座红色的尖顶房子，才有可能最终完成。

这是一篇短小的童话，也是一个优美的寓言故事。小迷糊兔的形象，使我们想到了《伊索寓言》里那头因为失去了主见而最终守着满地的青草却活活地忍受着饥饿的驴子。这篇童话虽然短小，却写得细腻而温婉。像"鼹鼠用他温暖的小爪子轻轻地碰了碰小迷糊兔"这样的细节，为童话增添了许多暖意。

农夫和蛇

天上飘着大朵大朵的雪花。

小青蛇蜷曲在窄窄的山路上，已经被冻得全身僵硬了。当她正要失去知觉的时候，突然听见有脚步声从远处传来，越来越近，越来越近……

"救救我！"小青蛇好不容易抬起头，"救救我！"

"啊，蛇！"那人惊呼一声，倒退了几步。

"不用怕，我快要被冻死了！"小青蛇看出那人是一个农夫，"请你救救我！"

农夫慢慢地走近小青蛇，用脚碰碰她："你是快死了，都快被冻成冰棍了。"

农夫迈过她的身体，就要离去。小青蛇哀求着："难道你见死不救吗？"

"救你?"农夫回过头来，"小时候，我爷爷给我讲的第一个故事就是《农夫和蛇》的故事。我可不是那个愚蠢的农夫！"

"你不是一个愚蠢的农夫，可你是一个狠心的农夫。你就忍心看着我被冻死在冰天雪地里吗?"小青蛇绝望地哭叫着。

农夫很有耐心地蹲下身子："如果我把《农夫和蛇》的故事讲给你听，你就不会认为我是一个狠心的农夫了。"

于是，农夫讲道：

"从前，有一个农夫在路上遇到一条快要被冻死的蛇，农夫很可怜这条蛇，就把它捡起来，放进怀里。蛇在农夫温暖的怀里苏醒过来后，一口就把农夫咬死了。"

小青蛇的声音已经很微弱了："这么说，你还是不肯救我了……"小青蛇失去了知觉。

农夫以为小青蛇死了，他在心里嘀咕着："我虽然没有救她，但也不能让她就这样被埋在冰天雪地里。"

农夫把小青蛇装进一个布袋里，提着下了山，准备把她埋进土里。

回到茅屋里，农夫又冷又饿，他马上到厨房里烧火做饭，顺手把装着小青蛇的布袋丢进了柴堆里。很快，他就把这件事忘得一干二净。

漫长的冬天终于过去了。

一声春雷，把布袋里的小青蛇震醒了。她的身体开始变得柔软。

"我怎么会在一个布袋里？"小青蛇把头探到布袋外面，"我记得我已经死了，死在冰天雪地里。"

小青蛇从柴堆上爬下来，爬到门口，她看见了农夫。

"原来是他救了我！"小青蛇朝他爬去。

农夫正倚在门上吹竹笛，猛地看见一条蛇径直朝他爬来，吓得瘫倒在地："啊，蛇！蛇……"

小青蛇停止爬行，抬起了头："你是我的救命恩人。"

农夫莫名其妙地问："谁是你的救命恩人？"

"你呀！"小青蛇说，"我在冰天雪地里快要被冻死的时候，是你救了我，你把我装在布袋带回了家……"

农夫想起来了，想起了他扔在柴堆里的布袋。

"对！对！是我救了你。"农夫小心翼翼地问小青蛇，"你总不会像《农夫和蛇》里的那条蛇那样，醒过来就把救命恩人咬死吧？"

"我要报答你！"小青蛇说，"刚才我听见你吹的曲子十分忧伤。你遇到了什么不顺心的事吗？"

"今年，我们遇到了百年不遇的春旱，这里好多天都不下一滴雨。现在正是青黄不接的时候，我准备离开家乡，到外面打工去……"

"你要外出？"小青蛇请求道，"带上我！"

"带你做什么？"农夫没好气地说，"这样暖和的天不会再冻死你，我们还是各谋生路吧！"

小青蛇固执地摇摇头："我说过我要报答你。"

"说说看，你怎么报答我！"

"带着我，带着你的竹笛，你赶快上路吧！"

农夫希望小青蛇真的能报答他，于是对小青蛇言听计从。

"往哪儿走？"农夫问小青蛇。

"往人多的地方走。"小青蛇在布袋里答道。

农夫来到人山人海的集市。

"你找一块空地，把我放出来。"

农夫在集市的中央找到一块空地，把小青蛇从布袋里放出来。

小青蛇在地上扭了几扭，然后伸直了身体对农夫说："现在你可以吹竹笛了，不要吹忧伤的曲子，要欢快一点的。"

农夫吹起了欢快的曲子。

小青蛇蛇尾一弹，身体直直地立了起来。

"快看！快看！蛇跳舞了。"

人们顾不得逛集市了，纷纷朝这边涌过来，把农夫和蛇围在中间，围得水泄不通。

小青蛇的身体急剧地扭动着，她那高高昂起的头随着欢快的曲子有节奏地摆动着，身体在急速的旋转中幻化出一片绿色的光影……

一曲下来，人们纷纷叫好，花花绿绿的钞票像雨点般地掷在农夫的身上。农夫仿佛从梦中醒来："我成了一个耍蛇人，我已经毫不费力地挣了一地的钱。"

"再跳一曲！再跳一曲！"

看蛇舞的人越来越多，里三层外三层地围着。

农夫浑身来劲，鼓起腮帮子一支曲子接一支曲子地吹。

小青蛇不停地扭，不停地旋转……

吹到天黑，舞到天黑，农夫挣了满满一袋子钱。

回到家里，农夫把钱从布袋里倒出来，再把小青蛇装进去。现在，小青蛇是他的宝贝，能为他挣很多很多的钱。

几场雨过后，旱情得到了缓解。小青蛇对农夫说："还是

种地要紧。"

"什么！种地?难道你不想再为我挣钱吗?你说过要报答我的呀！"

"可你是农夫，你要干的应该是种地。再说，你已经挣了不少的钱。"

"小青蛇，小青蛇，你看我现在住的还是烂茅屋，你再为我挣些钱来盖一座新房子，我就安安心心种地了。"

"好吧，我答应你。"小青蛇无可奈何地说，"我为你挣够盖房子的钱后，就离开你。"

小青蛇用她柔曼的舞姿为农夫挣够了盖房子的钱。农夫的新房子盖起来了。

可是，农夫并不打算放小青蛇走。

"小青蛇，小青蛇，我现在有了新房子，还应该有辆新汽车才是呀！"

小青蛇替农夫感到痛心："你再不去种地，你的田地都荒芜了。"

"哈哈哈！"农夫笑道，"我有了房子，有了汽车，傻瓜才种地呢！"

"唉……"小青蛇看着变得越来越贪心的农夫直摇头。

"怎么，你不愿意！"农夫叫道，"你不是口口声声地说要报答我吗？想一想，如果不是我救了你，你早就被冻死了。"

为了报答农夫的救命之恩，小青蛇只得再舞下去，尽管她在舞蹈时已没有一丝激情、一丝愉悦。

当冬天快要到来的时候，小青蛇为农夫挣够了买汽车的钱，农夫从城里买回一辆亮铮铮的新汽车。小青蛇想：现在他车也有了，房子也有了，总该安下心来种地了。不料农夫又有了新的欲望。

"小青蛇，小青蛇，咱们的下一个奋斗目标是买一台大空调。"

"我实在不想再跳舞了。"

"不想跳？"农夫很生气，"你说过要报答我的。你想想，如果没有空调，你叫我怎么度过这漫长的冬天？"

小青蛇不知道这样的日子有没有尽头。她每天都流着泪在舞蹈。

寒冷的冬天又来临了，农夫的新房子里装上了大空调。尽管外面滴水成冰，新房子里却像春天般温暖。

心宽体胖的农夫一边喝茶，一边对小青蛇描绘着他的未来："等冬天过去了，我再带你到大城市里去，我要挣好多好多的钱，要买……"

农夫说得眉飞色舞，手舞足蹈。

小青蛇悄悄地溜了出去。

"小青蛇，快回来！你会被冻死的。"农夫发现小青蛇不见了，惊慌失措地追了出来。

"也许我会被冻死，但我决不再回去！"

小青蛇消失在风雪交加的寒夜里。

这篇童话，一反《伊索寓言》里的那个经典故事的原意，别出心裁地为两个童话主角设计了另外的性格和命运，显示了童话家在构思故事时的灵巧、智慧与风趣。

小青蛇善良、真诚，本想任劳任怨地报答主人，可是最终认清了主人贪得无厌的本质，于是毅然做出了"消失在风雪交加的寒夜里"的选择，维护了一种是非分明、"宁为玉碎，不为瓦全"的生命尊严。那个农夫患得患失，得寸进尺，贪婪无度，妄想过上一种不劳而获的生活，结果只能给世人留下笑柄，成为又一个让人耻笑和不屑的童话形象。

与其说这是一篇童话，不如说这是一个新的寓言故事；与其说这也是一个"农夫和蛇"的故事，不如说这是一个新的"金鱼和渔夫"的故事。这篇童话里的小青蛇，多么像普希金童话里的那只被搭救后，一心想着报恩的小金鱼；而这个农夫，又多么像那个贪得无厌的老太婆。

蚂蚁球

翡翠山林中生活着两大蚂蚁家族：黑蚂蚁家族和黄蚂蚁家族。两个蚂蚁家族争斗不休，常常为一块地盘、一点点食物而出动全部的黑蚂蚁、黄蚂蚁，双方没完没了地打，直到筋疲力尽，才肯收兵。

这年天旱，好久没下一滴雨，山林里的草枯了，树叶也黄了，蚂蚁们爱吃的甜浆果更是少得可怜。

一天中午，太阳火辣辣地照着山林，一只黑蚂蚁和一只黄蚂蚁来到大树下乘凉。黑蚂蚁叫黑大头，黄蚂蚁叫黄大头。黑大头在这边，黄大头在那边，尽管他们很孤独，也很寂寞，但他们谁也不理谁。

咚的一声，一颗熟透了的红浆果从树上落下来，

黑大头看见了，黄大头也看见了，他们都朝这颗红浆果爬去。

黑大头先爬到红浆果上，黄大头也跟着爬上来了。

"下去！"黑大头拦住黄大头，"这浆果是我的！"

黄大头硬往上冲："这是我的！"

"我先爬上来的！"

"我先看见的！"

两只蚂蚁触角对触角，干上了。

黄大头被黑大头从红浆果上推下来。黄大头估摸着自己斗不过黑大头，转身走了。

"哇，我胜利了！"黑大头欢呼道。

黑大头想把红浆果运回洞里去。他搬，搬不动；他推，也推不动。怎么办呢？

正当黑大头在想办法的时候，他看见一条黄色的线正在延伸过来。原来，黄大头搬来救兵了。

黄蚂蚁的队伍好长好长，黑大头丢下红浆果，也回洞里搬救兵去了。

"大王！"黄大头领着黄蚂蚁的队伍直奔红浆果，"你看，这就是我说的那颗红浆果！"

"好，果然很大！"黄大王绕着红浆果爬了一圈，"你说的那只黑蚂蚁呢?"

黄大头到处看了看:"怎么不见了呢?"

"他是不是也回去搬救兵了?"黄大王警觉起来,"快搬!快把浆果搬回洞里去!"

"一,二,加油!"

"一,二,加油!"

黄蚂蚁们喊着号子,一齐推红浆果。红浆果慢慢地滚动起来。

"站住!"

黄蚂蚁们回头一看,只见一条长长的黑线拉了过来。原来,是黑蚂蚁的队伍过来了。

"大王,他们要把红浆果搬走!"黑大头叫道。

黑大王一声令下:"抢!"

黑蚂蚁的队伍追上来了,他们拦住了向前滚动的红浆果。

"躲开!"黄大王爬到红浆果上愤怒地叫道。

"孩儿们,别理他,给我推!"黑大王也爬上红浆果,并喊起了号子。

"一,二,加油!"

"一,二,加油!"

伴着黑大王的号子，黑蚂蚁们推起来，黄蚂蚁们也推起来。黄蚂蚁要把红浆果往这边推，黑蚂蚁要把红浆果往那边推，红浆果却在原地一动不动。

黑大王和黄大王在红浆果上跳来跳去，为各自的队伍加油。

突然，一群梅花鹿飞奔过来："山林起火啦！"

"我们怎么办？怎么办？"黄蚂蚁和黑蚂蚁都慌了。

黄大王和黑大王谁都不要那个红浆果了："快逃吧！"

大火眼看着就要烧过来了，蚂蚁们却爬得很慢很慢，他们的身边不断地有别的动物跑过去，一会儿就不见了踪影。

黑蚂蚁和黄蚂蚁现在也顾不上什么深仇大恨了，只顾逃命。黑蚂蚁混在了黄蚂蚁的队伍里，黄蚂蚁又混在了黑蚂蚁的队伍里。

这时，一群兔子从他们身边跑过，把那颗红浆果踢了过来，红浆果骨碌碌地滚下山去了。

黑大王感叹道："如果我们能像这颗红浆果一样滚下山去，就得救了！"

这句话提醒了黄大王："我们这么多蚂蚁紧紧抱成一团，也可以滚下山去。"

于是，黑大王紧紧地抱住了黄大王，所有的黑蚂蚁和黄蚂蚁都围上来，抱在一起，抱成了一个圆圆的蚂蚁球。

"一，二，加油！""一，二，加油！"

在大家的努力下，蚂蚁球滚动起来，骨碌碌地滚下了山。

"我们得救了！""我们得救了！"

山脚下，黑蚂蚁和黄蚂蚁的欢呼声响成一片。

这是一个十分轻松快乐的童话故事。原本为了争夺一颗红色浆果而互不相让、势不两立的两个蚂蚁家族却在一场突如其来的灾难面前变得非常齐心和团结，终于逃离了险境。故事写得单纯而好玩，却呈现了蚂蚁世界的一种独特的生存智慧。对喜欢在生活中你争我斗、互不相让的人类来说，这难道没有启示意义吗？

杨红樱的许多单纯和优美的小童话，都可以称得上"德育童话"。这些童话有的温馨，有的幽默，有的欢快，有的伤感，但大都带着暖暖的母爱之情，蕴涵着舐犊般的"美育"和"德育"意义。它们所涉及的主题包含着诸如谦让、分享、诚信、专注、承担、奉献、勇敢、自信、友爱、互助、感恩等等。这些德育的话题都是小孩子们在成长过程中所不应回避和绕过的，而且正在成长中的小孩子们，也是特别需要这样一些温馨的"德育故事"的滋育的。当然，童话家首先是把它们作为美丽的童话故事来讲述的。她讲得那么单纯、亲切和有趣。每一篇故事都不太长，却充分地显示出了优秀的儿童文学所特有的一种"浅语艺术"，一种使孩子们乐于接受，也容易感受到的亲和力与感染力。这篇小童话就是一个最好的例子。

骆驼爸爸是位知识渊博的爸爸，别看他的脑袋小，他背上那又高又大的驼峰里面，却装着无穷无尽的知识和智慧。骆驼爸爸还很会讲故事，他讲的故事一会儿在天上，一会儿在地下，一会儿在森林，一会儿在海洋……每一个故事里面，都藏着知识，他让孩子们听着故事，轻轻松松地变得更聪明。

神犬破案

骆驼爸爸的话：

蚂蚁喜欢吃糖，因为甜的食物里面含有一种成分，对蚂蚁的身体很重要。有的蚂蚁还喜欢爬到蚜虫或介虫身上，吃它们的排泄物，因为这些排泄物也是甜的。

　　白兔大婶家坐落在繁花似锦的地方，大片大片的鲜花一直伸展到天边，成群结队的蜜蜂在这里采蜜，到处都是蜜蜂建造的蜂房。白兔大婶就在她家的附近，办了一个蜂蜜加工厂。

　　白兔大婶家生产的蜂蜜特别香甜，远近闻名。可是最近一段时间，蜂蜜连连被盗，白兔大婶只好请来神犬探长破案。

　　白兔大婶打开平时放蜂蜜的库房："昨天晚上，这里还放了满满两桶蜂蜜。今天早晨，两桶蜂蜜都不见了。"

　　神犬探长点点头："这么说，两桶蜂蜜都是在晚上被盗的。"

"不知是谁干的！"白兔大婶十分生气，"想吃蜂蜜给我说一声，我会请他吃个够，犯不着偷啊！"

神犬探长问白兔大婶："你说，会是谁呢?"

白兔大婶想了想，说："小猴爱吃蜂蜜，可是他想吃的时候，总是来我家向我要，不可能是他；狐狸嘛，她说她不爱吃蜂蜜，也不会是她；剩下的就是老熊了，他每天在我这儿干活儿，但是他挺老实的。"

"老熊?"神犬探长双耳竖立，警觉起来，"他是爱吃蜂蜜的，我要审问他。"

白兔大婶把正在忙碌的老熊叫到神犬探长的跟前，神犬探长见他神色不安的样子，更加怀疑偷走蜂蜜的就是他了。

"我问你，昨天晚上，你在什么地方?"

"库房里。"老熊含含糊糊地回答，"白兔大婶让我守库房，她说这段时间，蜂蜜老是被偷。"

神犬探长两眼紧紧盯住老熊："让你守库房，怎么两桶蜂蜜还是被偷了?"

老熊低下了头："一到晚上，我就呼呼睡大觉，什么都不知道了。"

"是的。"白兔大婶证明道，"天刚黑，他就睡着了，一直

睡到天亮。"

神犬探长让老熊走了，又问白兔大婶："库房里放着两桶蜂蜜的事，还有谁知道？"

"狐狸。她知道。"白兔大婶回忆道，"昨天，狐狸来过。她问我又加工出多少蜂蜜。我说两桶。她又问我放在什么地方。我说放在库房里。"

"奇怪！"神犬探长皱着眉头，"既然狐狸不喜欢吃蜂蜜，她为什么还要打听蜂蜜的事呢？"

神犬探长低头分析着案情。一只蚂蚁在他眼皮底下来回爬动着。神犬探长看着看着，大叫一声："可以破案了！"

"是谁？"白兔大婶迫不及待地问。

神犬探长让白兔大婶晚上再放一桶蜂蜜在库房里，并叮嘱白兔大婶一定要在桶底打一个小洞。说完，神犬探长就骑着摩托车回去了。

第二天一早，神犬探长又骑着摩托车来到白兔大婶的家。他们打开库房一看，发现那桶蜂蜜不见了，地上却有一条黑黑的线，仔细一看，发现那些都是蚂蚁。

"你不是说今天就可以破案吗？"白兔大婶催促神犬探长，"快告诉我，是谁干的！"

"蚂蚁们会告诉我们的。"

那有小洞的蜂蜜桶一路滴下了蜂蜜，蚂蚁的嗅觉是最灵的，他们纷纷聚拢来，在有蜜的地上吃蜜，所以就形成了一条细细的蚂蚁线。

神犬探长和白兔大婶沿着蚂蚁线，一直走到了一个树洞口。

"这是狐狸的家。"白兔大婶疑惑不解，"可是她告诉我她不喜欢吃蜂蜜的呀！"

"蚂蚁们却告诉我们，那桶蜂蜜就在她的家里。"

神犬探长冲进树洞里，不仅叼出了那个桶底有小洞的蜂蜜桶，还叼出了几个没有小洞的蜂蜜桶，狡猾的狐狸不得不承认，白兔大婶家所有的蜂蜜都是她偷的。

耳朵的风波

耳朵是听觉器官。动物都有听觉器官，但其形状和位置有所不同。许多昆虫的"耳朵"生长的位置很奇特：苍蝇的听觉器官长在翅膀基部的后面；蝈蝈和蟋蟀的"耳朵"长在前足的小腿节上；而蝉的"耳朵"却长在肚子下面。昆虫中，只有蟋蟀、蚱蜢、蝗虫、蝉和大部分蛾类才有"鼓膜"那样的听觉器，可是它们并不长在头上，而长在腿上或身躯的两侧。

歌唱家夜莺小姐的独唱音乐会就要开始了，可是音乐厅的门口却闹哄哄的，蟋蟀和蝉蹦跳着，一个劲儿地嚷："让我们进去！让我们进去！"

"不行!"兔先生挡在门前,摇着头,态度很坚决。他是音乐厅的经理,也是夜莺小姐的歌迷,今天他穿着黑色的礼服,脖子上系着黑色的领结,把他那对长长的耳朵衬托得更加引人注目。

"为什么不行?"蟋蟀和蝉急了,"我们俩也是歌唱家,我们是从大老远的地方专程赶来听夜莺小姐的音乐会的。"

"听音乐会?"兔先生摇摇他的长耳朵,"你们连耳朵都没有带来,回去带来再进去吧!"

蟋蟀和蝉连忙说:"我们没有你那样的耳朵。"

"去!去!去!"兔先生朝外轰他们,"没有耳朵听什么音乐会?真是笑话!"

对于这么固执的兔先生,蟋蟀和蝉毫无办法,只好走了。可是他们并没有回去,而是找公正的黑猫警长说理去了。

黑猫警长耐心地听完他们的讲述,仔细地看看蟋蟀,又看看蝉,说:"兔先生说得没错,你们是没有耳朵呀!"

蟋蟀和蝉不服气:"如果没有耳朵,我们怎么能听见你说话呢?"

黑猫警长一听,觉得他们说得也有道理,又问道:"那么,你们的耳朵在哪里呢?"

蟋蟀伸出他的前足,指着小腿节的地方:"我的耳朵在这里!"

蝉躺在地上,指着肚子:"我的耳朵在这里!"

黑猫警长看看蟋蟀的前足，又看看蝉的肚子，摇摇头："哪儿有耳朵呀?我什么都没看见！"

蟋蟀说："我们的耳朵不像你和兔先生的耳朵那样有耳廓，但是在我的前足的小腿节上，有一片鼓膜，这就是我的耳朵。"

蝉说："在我的肚子下面也有一片鼓膜，这就是我的耳朵。"

黑猫警长听得很有兴趣："什么叫鼓膜?"

"鼓膜是一种听觉器。"

"我明白了。"黑猫警长点点头，"只要能听得见，就有耳朵。"

黑猫警长带着蟋蟀和蝉去了音乐厅。

兔先生还是挡在门口。

"让他们进去吧！"黑猫警长拍拍兔先生的肩膀。

"耳朵带来了吗?"

黑猫警长告诉兔先生，蟋蟀的耳朵长在前足的小腿节上，蝉的耳朵长在肚子下面。

"我什么都没看见。"兔先生还是摇头，"即使他们没有一对像我这样的长耳朵，至少也应该有一对像你那样的短耳朵。"

黑猫警长据理力争："耳朵的长和短，只是耳廓的不同形状而已。要听见声音，重要的是要有听觉器——鼓膜。鼓膜，你有，他们也有。"

"光有鼓膜也不能算有耳朵。"兔先生还不服输，"耳朵是很复杂的器官，分外耳、中耳、内耳。这些他们都有吗?"

这时，从音乐厅里传来夜莺小姐演唱的《小夜曲》，蟋蟀和蝉也跟着唱起来。

连夜莺小姐也没有想到竟然有听众能伴唱得这么好，她将这首《小夜曲》唱得格外优美、格外动听，使演唱会获得了空前成功。

夜莺小姐走下舞台，她要把观众献给她的鲜花，转献给为她伴唱的蟋蟀和蝉。她没想到，蟋蟀和蝉居然在音乐厅的门外。

"你们怎么没有进去?"

"他们没有耳朵。"兔先生向夜莺小姐低声解释。

"胡说!"夜莺小姐十分生气，"没有耳朵能为我伴唱?"

比胆儿大

骆驼爸爸的话：

动物之间既有生存竞争，也有互惠互助。牙签鸟和虎雀分别飞到鳄鱼嘴里和老虎口中去啄食他们牙缝里的肉屑，牙签鸟和虎雀既填饱了肚子，又让鳄鱼和老虎的口腔保持了清洁，双方都得到了利益，这种现象叫"共栖"现象，这些动物则形成了一种相互依赖的生命之网。

丛林里，两只小鸟相遇了。他们都趾高气扬，谁也瞧不起谁。

"难道你不认识我吗?我是有名的燕千鸟。"

"不认识。"另一只小鸟冷冷地摇摇头。

"我还有一个名字——牙签鸟，你一定听说过。"

"从没有听说过。"那只小鸟还是一副无动于衷的样子，

"但如果我说出我的名字，你准会吓一跳。"

"哈哈哈！"牙签鸟大笑起来，"我还从来没有被吓倒过。你说吧！"

"虎雀！"

"虎雀有什么了不起？"牙签鸟根本不把他放在眼里，"我告诉你，我最大的优点就是胆儿大。"

那虎雀也不示弱："我最大的优点也是胆儿大。"

"那么，我们就来比一比谁的胆儿大！"牙签鸟以为虎雀不敢和他比。

"比就比！"没想到虎雀答应得如此痛快，"现在我们必须找一位裁判。"

正在这时，一只乌鸦从他们跟前飞过。

"乌鸦，请你停一停！"

乌鸦停在一棵树上。

"我们俩想比一比谁的胆儿大。我们请你做裁判，好吗？"

乌鸦觉得这事儿挺有趣儿，就答应了。

"怎么比呢？"乌鸦问道。

"你们跟我来！"

牙签鸟把他们带到一条绿荫蔽日的河边。一条鳄鱼正张着巨大的嘴浮在水面上，远远地看见一条大白鱼，他立刻像一艘潜水艇那样游过去，一口咬住了那条大白鱼。大白鱼挣扎着，掀起了一丈多高的水柱，但眨眼间，大白鱼不见了，只见鳄鱼浮在血红的河水中。

"大白鱼呢?"乌鸦的目光在河面上寻找着。

牙签鸟说："已经被鳄鱼吃进肚里去了。"

乌鸦吓得双腿发抖："太可怕了！太可怕了！"

"可怕吗?"牙签鸟说，"鳄鱼现在又张大了嘴巴，我这就飞到他的嘴里去。"

"别……"

乌鸦还没来得及阻止牙签鸟，牙签鸟已经飞进了鳄鱼的嘴里。

牙签鸟在鳄鱼的大嘴里跳来跳去，那样子好像快活得不得了。突然，鳄鱼把嘴闭上，牙签鸟不见了。

"天哪！"乌鸦叫道，"这可怜的小鸟被鳄鱼吃掉了。"

虎雀幸灾乐祸地说："别为他难过！是他把自己送进鳄鱼嘴里的。"

虎雀的话音刚落，鳄鱼又张开了嘴巴，牙签鸟竟从鳄鱼嘴里飞了出来。

牙签鸟又飞回虎雀和乌鸦的跟前，嚷着："吃得好饱啊！"

"你在鳄鱼嘴里吃东西？"乌鸦不敢相信自己的耳朵。

"我把鳄鱼牙缝里的鱼肉全吃了。"牙签鸟十分得意，"怎么样，我的胆儿够大的吧？"

"这算什么！"虎雀不以为然，"我还敢在老虎口中抢食呢！"

"你吹牛！"牙签鸟和乌鸦都不相信。

"那么，我就让你们亲眼看看。"

虎雀把牙签鸟和乌鸦带到一片草地上，一只大老虎正在撕咬着一只血淋淋的梅花鹿。

"太残忍了！太残忍了！"乌鸦吓得不敢看，用翅膀捂住了眼睛。

虎雀却说："我要去抢他口中的肉吃。"果然，那虎雀一飞到老虎身边，老虎就乖乖地张开血盆大口，让虎雀吃他牙缝里的肉。

过了一会儿，虎雀飞回来了。

"乌鸦快说，是我虎雀胆儿大，还是牙签鸟胆儿大！"

乌鸦早吓得魂儿都没有了，哪里还有心思当裁判？乌鸦问道："你们怎么都不怕呢？"

"没什么可怕的！"虎雀说，"老虎是我的朋友。"

"我更不怕！"牙签鸟说，"鳄鱼和我亲密得一天都分不开。"

"原来你们是这样比胆儿大的？"乌鸦恍然大悟，"这样比不行！"

"那么，应该怎样比呢？"

乌鸦对牙签鸟说："你敢飞进老虎的口中吗？"乌鸦又对虎雀说："你敢飞进鳄鱼的嘴里吗？"

这回，是牙签鸟和虎雀吓得魂儿都没有了。

藏松果

松鼠们是大自然的义务植树者。它们在越冬前贮藏"粮食"，有些"粮食"被它们埋在地下。春天来了，埋在地下的"粮食"发芽了，渐渐地长成了小树苗。

小松鼠十分贪玩儿。他特别喜欢在松树林对面的荒山坡上玩儿，从早到晚，一玩儿就是一整天，妈妈不来找，他就不回家。

当初冬的白纱已挂在松树林的时候，松鼠妈妈对小松鼠说："孩子，你再也不能这么玩儿了，你应该帮妈妈捡些松果，存在家里好过冬。"

小松鼠不明白，为什么要把松果存在家里。

"冬天就不能出来找松果吃吗？"

"傻孩子。"妈妈笑他没经历过冬天，所以净说傻话，"大雪封山，到处都是白茫茫的一片，你到哪里去找松果?"

"我有办法!"小松鼠想起了他的荒山坡，他要把松果藏在那里，到了冬天，他又可以到荒山坡上玩儿了。

这一天，小松鼠玩儿得更快活了。他拾来许多小松果，用爪子刨一个大坑，把松果全埋了进去，然后盖上土，高兴地说："这下谁也找不到了。"

第二天，小松鼠又拾来许多松果，还想把它们藏在昨天埋松果的地方。可是，找啊，找啊，他怎么也找不到昨天埋松果的地方。

小松鼠是个聪明的孩子，他马上又想出了藏松果的办法。

他在地上刨一个小坑，埋上一个松果。往前跳跳跳，跳十几步，再刨一个小坑，又埋上一个松果。

小松鼠就这样埋着，越埋越高兴，一边跳，一边唱起歌来：

跳跳跳，藏松果。

藏好多，满山坡。

小松鼠天天在荒山坡上跳，谁也不知道他到底在荒山坡上藏了多少松果，只有他自己知道，他藏了满山坡。

寒冬终于降临了，天上飘起了大朵大朵的雪花，松林被厚厚的雪覆盖了，荒山坡也被厚厚的雪覆盖了。

小松鼠再也不能到荒山坡上去玩儿了，他被妈妈关在家里睡大觉。

小松鼠真能睡啊！一睡就是整整一个冬天，如果没有那一声惊天动地的春雷，他还不会醒呢！

小松鼠一醒来，就感觉肚子特别饿。

"妈妈，我要吃松果！"

妈妈问道："你不是藏了好多松果吗?"

"噢！"小松鼠想起了他的荒山坡。

小松鼠向荒山坡跑去。可是，哪里还有他的荒山坡？山坡上，到处绿油油的，满地的小松树都在向他问好："小松鼠，春天好！"

"我的荒山坡呢?我的松果呢?"

小松鼠找啊，找啊，找不到，他只好回家找妈妈："妈妈，荒山坡不见了，我藏的松果也没有了。"

妈妈笑起来："傻孩子，你藏在荒山坡上的松果长成了小松树，荒山坡也变成了小松林。那是你的小松林。"

"我的小松林?"小松鼠跳跳跳，"我有一片小松林！"

春天里，小松林成了小松鼠最喜欢去的地方。他在那儿一玩儿就是一整天，妈妈不来找，他就不回家。

图书在版编目（CIP)数据

会走路的小房子 / 杨红樱著.—济南：明天出版社，
2009.5
（杨红樱童话珍藏版）
ISBN 978-7-5332-6084-2

Ⅰ．会… Ⅱ.杨… Ⅲ.童话－作品集－中国－当代
Ⅳ.I287.7

中国版本图书馆CIP数据核字（2009）第043221号

杨红樱童话珍藏版
会走路的小房子
杨红樱 著

责任编辑：徐迪南
整体设计：牛钧工作室
插图：黄缨工作室
　　　王晓鹏工作室
　　　朱丹丹　颜青
　　　孔雀工作室
　　　大青工作室
牵手阅读撰写：徐鲁

出版人：刘海栖
出版发行：明天出版社
社址：山东省济南市经九路胜利大街39号
邮编：250001
http://www.sdpress.com.cn
http://www.tomorrowpub.com
各地新华书店经销
山东新华印刷厂印刷

156×205毫米　32开　5印张　65千字
2009年5月第1版　2009年5月第1次印刷
印数：1—50000
ISBN 978-7-5332-6084-2

定价：19.00元

如有印装质量问题，请与印刷厂联系调换。